~働き方改革・在宅勤務対応版~

サッと作れる小規模企業の就業規則

改訂3版

特定社会保険労務士　三村正夫　著

経営書院

プロローグ

　この本を手に取って頂き深く感謝申し上げます。2011年に初版本を出版して、お蔭様で今回改訂3版の出版となりました。これも皆様のご支援のお蔭です。3年前は連日のように働き方改革が新聞紙上で話題となっておりましたが、昨今はコロナ禍が話題の中心となっております。

　小さな会社の社長さんがこのような時代の流れの中どのように対応したらいいのか、就業規則を視点にこの本では考えてみたいと思います。

　数年前私の顧問先で次のような労務トラブルがありました。

　ある会社の社長が出来の悪い従業員に解雇予告をして、1カ月後にやめてもらおうとしました。

　ところが、従業員が、1人でも加入できる労働組合に加入したため、その組合から団体交渉の申し入れがありました。その最初の団体交渉のときの、組合からの質問は、以下の通りです。

「解雇であれば、就業規則を見せていただけませんか？」
「・・・・・・・・」社長は思わず黙りこみました。

残念ながら会社は10人未満であったため、就業規則を作成しておりません。法律の定めがあり、解雇するときは、就業規則等で具体的な事由がなければ、解雇することは大変難しい時代となっております。社員と争いがなければ問題はありませんが、いざ訴訟となれば会社側は権利の濫用ということで解雇は無効となってしまうケースも予想されます。

　今回の事例では、社長はやむなく組合の主張をのんで解雇を取り消すことになってしまいました。

　ただし、東日本大地震・熊本地震のような大震災であれば、労働基準法に解雇の例外規定の定めがありますので、行政官庁の認定があれば、やむを得ず解雇しても社員との争いはないと思いますが、このような稀なケースは100年に一回くらいのことです。

　ある会社では退職した従業員から、未払い残業代として過去２年分で約200万円を請求されました。結局、この会社は約半分の100万円を支払うことで、解決しました。令和２年４月から、法改正で未払い賃金の時効は２年から３年（原則５年ですが当分の間）になりました。いまの例ですと残業代は200万円から300万円になってしまいます。最近多くみられる事例です。

　これも就業規則の賃金規定の定めをしっかりしておけば、支払わなくてもよかったかもしれないケースです。このように労働基準法を逆手にとり重箱の隅をつつくように、会社を

プロローグ

相手に訴えてくるケースが増加中です。これからは、労務問題の解決金の支払いのための倒産ということも考えられる時代になってきたといえます。また近年は前記のような解雇案件は減少して、パワハラが労働基準監督署などへの相談で1番多い案件になってきているようです。

「10人未満だから就業規則は作成していませんでした」と、主張してもいざ争いがあれば、労働基準法には抵触しなくても、民事上では会社は非常に辛い立場になってくることは明らかです。それに作成しておけば、東日本大地震・熊本地震のようなとき、どのような雇用対策をすればいいかシナリオが描きやすくなってくると思います。また、2018年の国会（169回国会）において、政府の推進する働き方改革の各種改正法が成立しましたが、改正の対象となった法律は、労働基準法・雇用対策法・短時間労働者の雇用管理の改善等に関する法律など多岐にわたっております。このような大きな労働法の改正によって益々10人未満の会社でも、コロナ対策の一つとしても就業規則が必要な時代になってきたと思われます。

私は、平成13年に大手生命保険会社を早期定年「45歳」で退職し、すぐその4月に社会保険労務士として独立開業して本年で21周年を迎えました。金沢で開業してますので、そのほとんどの顧問先は中小零細企業です。開業時より就業規則の制度設計や改定は日常的にこなしております。

従業員10人以上は労働基準監督署への届け出の義務があるため、就業規則については、ある程度認識されているように思います。しかしながら、従業員３～４人から10人未満の零細企業では、届け出義務がないことと、家族的経営でやってきているなどの点で、就業規則の必要性を理解している社長は極めて少ないように思います。

　仮に作るとしても、従業員約20人以上の会社が作成するような、書店でよく見かける中小企業向けの就業規則本のサンプル条文がはたして必要であるのかと、開業以来悩み続けてきました。仮に、従業員３～４人の会社に100条前後の規則が現実の問題として必要でしょうか？　目の前にいつも社員がいるのですから、直接話をすればいいだけのことです。膨大な条文など従業員が読むわけがありません。読むとすれば、有給休暇か賃金のところかと思います。

　ランチェスター経営で有名な竹田陽一先生も主張されておりますが、中小零細企業は、賃金や、規則はシンプルにするべきだとお話しされております。21年間就業規則を作成してきて、従業員３～４人程度の会社は、就業規則はシンプルがベストであると確信しています。

プロローグ

　そこで、「伝説の就業規則」ということで、零細企業および小さな会社の社長さんが、本書を読んでいただければ、わずか1時間ほどで作成できる就業規則とその作り方を公表したいと思います。

　11年前の初版のときと違い、現在は多くの会社で人手不足が深刻になってきております。このため、10人未満であっても就業規則を整備しておくことは、求人においてはしっかりした会社であるということで、求職者の方から好感が得られるのではないかと思います。

　このような従業員3～4人程度を対象にした就業規則の本は今までは何故か出版されていません。なぜなら、あまりにシンプルであると、専門家の商売に結びつきにくくなると、専門家が考えてのことかと推測しています。

　この点、私は逆の考えです。中小零細企業向けの規則を周知することで、世の中の中小零細企業の社長さん方がもっと就業規則というものを意識する。それによって専門家の必要性はますます高まるのではないかと。

　また、この規則の中に会社の経営理念や業務マニュアルを導入していただければ、会社経営においても十分活用できるものになると確信しております。

　中小零細企業や小さな会社の社長様にとって、今後発生が予想される、不毛な労務トラブルや人手不足などから、会社を守り、また、経営のリスク対策の一助になれば幸いです。

目　次

プロローグ……………………………………………………… 1
序章　　小さな会社の働き方改革どうすればいいのか?… 9
　1．小さな会社にとって働き方改革とは……………… 9
　2．有給休暇の義務化・残業規制・迫りくる人手不足
　　　あなたの会社はどうしますか?………………………12
第1章　10人未満の会社　就業規則は業務マニュアル
　　　　としても活用できるか?………………………………16
　1．働き方改革により、小さな、零細な会社にこそ
　　　益々就業規則は必要な時代になった………………16
　2．作らないと、労使トラブルでは負けます……………19
　3．就業規則はこの際業務マニュアルとしても
　　　活用する………………………………………………22
第2章　就業規則　どんなことを書くか?………………26
　1．労働基準法にある絶対的記載事項とは?……………26
　2．会社を守るために記載するとよい事項がある?……29
　3．最近の労使トラブル、パワハラ・在職強要など……38
　4．小さな会社こそユニークな経営理念を………………40
第3章　経営の中で就業規則は、どう位置づけるか?……44
　1．会社経営と法律と働く人との関係をキソク化、
　　　文章化し、ミエル化する………………………………44

目 次

2．就業規則は社長さんと従業員のケイヤク内容………48
3．就業規則はどんな書式でもＯＫ……………………53

第4章　伝説「10人未満の会社を守るためのシンプル規則」
……………………………55

1．絶対的記載事項を定めれば、書式は自由なのだ……55
2．伝説の就業規則は必要サイテイゲンなのだ…………90
3．あっと驚く　伝説の就業規則は１時間で
　　できるのだ……………………………………………92

第5章　社員・従業員への周知テッテイと日常のカツヨウ
……………………………96

1．２～３人であれば、閲覧できる状態であればＯＫ
……………………………96
2．働き方改革により益々必要とされる社長さんの
　　労働基準法の理解（残業規制・有給休暇・同一
　　労働同一賃金への対応について）……………………97
3．日常の就業規則の管理について……………………126
4．労働基準監督署に届け出しない？……………………130
5．会社経営に使うとっておきの活用法………………132

第6章　10人以上になったとき　就業規則の改定………137
1．10人以上になったら届け出る……………………137
2．10人以上になればショウサイな規則も必要になる
……………………………139

参考資料……………………………………………144
　伝説の就業規則…………………………………144
　業務マニュアル規程……………………………159
　「経営理念・経営戦略」参考事例………………160
　業務規程（当事務所の事例）…………………161
　「働き方改革により、経営者必読の法律」……163
　届出様式等………………………………………187
まとめ………………………………………………202

　　　　　　書籍コーディネート
　　　　　　　インプルーブ　小山睦男

序章

小さな会社の働き方改革
どうすればいいのか？

1 小さな会社にとって働き方改革とは

　３年前は日本全国で働き方改革・働き方改革が連日のように新聞紙上を賑わしていましたが、ここ数年はコロナコロナで日本中が振り回されました。

　４年前には、私も地元新聞社から働き方改革のセミナー依頼があり、講演もさせて頂きました。

　その中で、多くの社長さんはこの働き方改革といえば、残業規制とAI（人工知能）などを活用した労働生産性向上による労働時間短縮などしかイメージが湧いていないように感じました。

　2018年の国会（169回国会）において、政府の推進する働き方改革の各種改正法が成立しました。改正の対象となった法

律は、労働基準法・雇用対策法・短時間労働者の雇用管理の改善等に関する法律など多岐にわたっており、労働基準法に関しては70年ぶりの大改革と言われておりました。

その結果、この法規制の流れは仕方がない、と今では大半の社長さんはご理解しているのではないかと思います。郵便局が土曜の配達を止めるとか、金沢では金沢駅のショッピングセンターの元旦営業を取りやめるとか、労働時間削減に向けた取り組みが徐々に見られるようになってきました。

加えて、昨今のコロナ禍ではコロナ対策として休業やテレワークといった状況になってきました。

働き方改革関連法（2018年7月6日公布）スケジュール						
項目	2019年4月	2020年4月	2021年4月	2022年4月	2023年4月	2024年4月
年次有給休暇の5日間取得義務（共通）	→→					
労働時間の上限規制（中小企業）		→→				
労働時間の上限規制（大企業）	→→					
高度プロフッショナル制度（共通）	→→					
医師面接見直し・時間把握（共通）	→→					
同一労働同一賃金（中小企業）			→→			
同一労働同一賃金（大企業）		→→				
賃金債権時効延長（別法案共通）			→→			
月60時間超割増率引き上げ（中小企業）					→→	
限度基準適用除外見直し（共通）						→→

序章 小さな会社の働き方改革どうすればいいのか？

　それではこの本の読者である小さな会社の社長さんの会社にはどのような影響がでてくるか、私なりに考えてみました。働き方改革のスケジュールは左頁の図のような流れです。

　この表にあるように、小さな会社は、2019年4月年次有給休暇の5日間取得の義務化・2020年4月労働時間の上限規制・2021年4月同一労働同一賃金が実施され、2023年4月からは月60時間超割増率引き上げが予定されております。この問題点は大企業とはその施行時期が1年遅れ又は同じ時期にスタートしたということであります。

　10人未満の小さな会社でも、大企業と同じ対応が要求されてきた訳であります。しかも罰則も規定されました。

　従って、これらの法改正に対応できない小さな会社では、いま一番大切な人材がより福利厚生のいい賃金のより高い大手企業へ転職していくといった流失の懸念が心配されるところであります。

　働く側からみればそれは当然で、有給休暇なども法律どうり与えてくれないような会社よりは、福利厚生のしっかりした賃金が高く、休日もしっかりとれる、退職金制度なども整備された会社に転職していってしまうのではないかと思います。これまでは簡単に転職できない社会でしたが、現在はコロナ禍で一時落ち込んだ有効求人倍率も、2022年1月で1.20倍と1倍を超え回復してきましたので、転職が比較的簡単です。現に私の顧問先の離職状況を分析してみると最近の離職

は、退職の時点ですでに転職先が決まっているといったケースがほとんどであります。従って今後予想される人手不足の社会で、他社への人材流失は、この改革が進展していく中で加速して、結果的に一番影響を受けてしまうのが、体力のない小さな会社の社長さんがたではないかと私は思います。

2 有給休暇の義務化・残業規制・迫りくる人手不足あなたの会社はどうしますか？

2019年4月から、有給休暇の会社からの5日間の付与の義務化がスタートしましたが、社長さんの会社は対応できていますか？　顧問先でよくお聞きするのですが、「うちの会社ではとても人手が少ないから、有給休暇なんてあたえられないよ」と言ったお話をされる社長さんが結構おられます。

これまで有給休暇が十分消化されている会社であれば、今回の法改正の影響はあまりないと思いますが、小さな会社ではそのような会社は少ないと思います。付与義務日数は5日間ですから、計画年休制度などを活用して対応すれば小さな会社でもなんとか運営できるのではないかと思います。詳細な対応については、第5章110頁を参照してください。

また、残業規制につては月間100時間未満、2から6カ月平均80時間以内、年間720時間以内の上限規制が、中小企業では

序章　小さな会社の働き方改革どうすればいいのか？

残業時間の上限時間規制
（施行時期中小企業のケース）

区　分		～2020年3月
1カ月の上限		45時間（大臣告示）
1年の上限		360時間（大臣告示）
特別条項	1カ月の上限	協定で定めた時間 年6回まで ただし定める時間の 上限なし
特別条項	1年の上限	協定で定めた時間 ただし定める時間の 上限なし

区　分		2020年4月～
1カ月の上限		これらの時間を法定化
1年の上限		（罰則あり）
特別条項	1カ月の上限	繁忙期は1月100時間未満 及び 2～6カ月平均80時間以内 （いずれも休日労働含） 45時間超は年6回まで
特別条項	1年の上限	年間上限720時間以内 （休日労働を含まない）

2020年4月から法律がスタートしました。上の図表のような内容です。

　残業が毎日1時間で月間20時間から30時間くらいの会社では、この残業規制は影響ありませんが、残業の多い会社は対策が必要となります。あなたの会社が下請けで、親会社からあと1週間で部品を納品してほしいと言われたらどうされますか？　これまでであれば、従業員さんに残業をしてもらって何とか期限までに納品をしてきたのではないかと思います。しかし、今後は上記の表のように、上限時間以上残業をさせることはできなくなりました。オーバーすれば、労働基準法違反の罰則の対象になってしまいます。仮に罰則で逮捕とでもなり新聞にでれば、あなたの会社のイメージダウンは必至であります。

このように残業規制が浸透していけば、これまで残業代で賃金が世間相場とあまり遜色がなかったものが残業が減少することにより、小さな会社の従業員の賃金がマイナスになるという現象が多くの会社ででてくるのではないかと思います。

1日8時間労働20日勤務 手当込月額　30万円のケース		
1日平均残業時間	残業時間	残業代
1時間	20時間	46,875円
2時間	40時間	93,750円
3時間	60時間	140,625円

　この表のように、30万円の給料の方で毎日1時間減少で毎月約5万円。2時間で約10万円ダウンしてしまいます。この給料をみた奥様は「あなた、これでは生活できなくなる。人手不足で困っている会社もあるから、もっと給料のいい会社があるはずよ」このような家庭での会話は十分予想されます。

　ですから小さな会社では、これまで残業が毎月50時間前後ある場合は残業抑制だけでは不十分で、賃金のマイナス分をどうするかなども考えておかないといけないと思われます。

　このように働き方改革の大波は、小さな会社には、体力的に乗りこえるのが厳しい会社がたくさんあると思われます。

序章　小さな会社の働き方改革どうすればいいのか？

　総務省のHPによると日本の事業所の約6割は従業員4人未満、10人未満となると約8割の事業所が対象となります。従ってこの働き方改革の大波によって、日本の小さな会社の大半が、人手不足による有給休暇の消化の問題や残業規制による労働力不足など、またパート職員などの非正規職員と正規職員との同一労働・同一賃金などの、かつて経験したことがない労務課題に直面しているわけであります。

　このような課題の解決策の一つとなるのが、10人未満の会社もしっかりした就業規則を作成することです。10人未満の小さな会社では就業規則の作成届け出の義務はありませんが、このような働き方改革の関連の法律が次々と施行されるに至っては、従業員さんの福利厚生などの対策は、ある意味、大手企業以上に対応していかないと、やがて気が付いたらあなたの会社には誰も働いてくれる人がいなくなっていたということが生じてくるのではないかと思います。

　今後人手不足の進展が予想される現在の日本では、今はまだ実感がないかも知れませんが、必ず上記のような現象がやってくると思われます。このような時代の流れも踏まえて会社が取れる対策の一つとして、次章第1章から中小零細企業の就業規則作成のマニュアルを記載しました。是非、私が命名した伝説の就業規則にチャレンジしていただければ、あなたの会社の具体的な対応策として参考にしていただけるものが必ず一つや二つはあると思います。

第1章

10人未満の会社
就業規則は業務マニュアルとしても
活用できるか？

1 働き方改革により、小さな、零細な会社にこそ益々就業規則は必要な時代になった

　日本全国で約280万の法人がありますが、そのうち従業員100人未満の会社が98パーセントで、さらに10人未満の会社が80パーセントを占めると言われています。日本の企業のほとんどが零細企業なのです。その多くは家族的経営で従業員が3人ないし4人のような零細企業であるように思われます。私の事務所も従業員3人の零細企業です。もし私が、社会保険労務士の仕事をしていなければ、日々の業務に忙殺され、就業規則の作成といったことは、法律で作成し届け出が義務化されていなければ、認識することはないと思います。なぜなら、10人未満の零細企業の社長はなにからなにまで、

第1章　10人未満の会社　就業規則は業務マニュアルとしても活用できるか？

社長が業務をこなしていることが多いため、毎日仕事に追われているのではないかと思うからです。従業員とは家族的な関係であり、日々の会話で十分意思疎通は図られているのではないかと思います。なので、就業規則の作成まで考えない状況ではないでしょうか。

　しかし、経済状況が比較的安定している時代であれば、これですんだかもしれませんが、約13年前のリーマンショックによる不況や東日本大震災や熊本地震など、また、昨今のコロナ禍という世の中何が起きてくるか分からない中で、その変化に、真っ先に影響を受けるのもまた、中小零細企業であると思います。もし、万が一この本を読んでいただいている社長さんの会社の従業員２人のうち１人に辞めていただかないと赤字不振で会社をやっていけない状況になったときどうしますか？

　「会社の業績が悪いので辞めてくれないか」と相談しても、不況の時であれば、よほどの人間関係でもなければ、「はい、わかりました」とはならないと思います。従業員からみれば、これまで社長の右腕となってこれだけ働いてきたのに不況だから辞めてくれと言われても「冗談じゃない」と考えるのではないでしょうか。

　その場合、次はどうされますか？　最終的な方法は解雇ということになります。解雇とは従業員からみれば、生活権を脅かされる死刑の宣告と同じです。これまで家族的関係が強

ければ強いほど、その悲しみは深いものがあると思います。逆に裏切られたとの感情が湧きあがってくると思います。従業員に学費のかかるお子さんがおり、奥さんが仮に専業主婦であれば、社長の解雇通知は従業員とそのお子さんと奥さんにも死刑宣告を告げたことになります。

　社長さん、さあ、これからどうなるでしょうか？　社長さん、従業員を解雇するって想像以上に大変なことなのです。

　解雇された従業員は誰かに相談すると思います。真っ先に考えられるのが、労働基準監督署へいかれるケースです。監督署はお役所ですから、「どういう理由で解雇になりましたか？」「解雇予告手当はもらいましたか」などといったことを聞いてくると思います。さらに、「就業規則に解雇の理由が明示されていますか？」などと質問してくると思います。

　さあ、社長さん、あなたの会社に就業規則を作成していなかったらどうしますか？　民事上では就業規則等に定められた合理的な解雇の具体的事例に該当しなければ、その解雇は無効となってしまうことがあります。もし、定めていなければ、裁判にでもなれば、その解雇は無効とされ、社長の立場は極めて劣悪な状況になると予想されます。

　労働契約法第16条には「解雇は、客観的に合理的な理由を欠き、社会通念上相当であると認められない場合は、その権利を濫用したものとして、無効とする」と解雇権濫用法理を定めています。従って法律上は解雇は不自由であると定めら

れているのです。

2 作らないと、労使トラブルでは負けます

　従業員から解雇無効で裁判をおこされたら、社長さん、あなたならどうしますか？　訴状を見て知り合いの弁護士に相談なさり、弁護士に裁判をお願いすることになってくると思います。ご存知のように日本の裁判は時間がかかります。

　長ければ２年近くかかります。毎月１回は裁判所に行かなければ弁護士に代理で行ってもらうことになると思います。

　弁護士は「あなたの会社は、この手の裁判では大変重要視される就業規則が作成されておりません。残念ながら、社長に大変不利な状況であります」と言われると思います。このとき就業規則を作成しておけばよかったと言ってもそれは後の祭りです。

　国家に憲法があるように、会社の規模は小さくても会社のルールを就業規則として明確にしておくべきで、それがなかったことは、明らかに社長として経営の失敗です。国に法律がなければ、その案件に対して対応ができません。会社も同じことが言えます。おそらく裁判では、就業規則に解雇が明示されていないということで、合理的な理由がなければ今回の解雇は権利の濫用とされ、解雇はできないということになる可能性があります。

しかしながら、人間関係の視点からも職場復帰は難しいということで、解決金として5カ月分ほど要求されてもおかしくないと思われます。それと弁護士の費用が40万円ほどかかるのではないかと思います。結果的に給与が約30万円の労働者であれば、約190万円程経費がかかってしまうこともあります。

　このようなことは、社長さん、あなたの会社でも起こりうることなのです。いかがですか？

　解雇は、判断を誤ると多大な「経費」と、裁判による売上に関係ない社長さんの大事な「時間」を失うことになります。10人未満だから、就業規則を作らなくていいと思っていると、思わぬ落とし穴に落ちることがあります。

　いかがですか。土日も働き続けながら190万円も支払うことになれば、何のために従業員を雇ってきたか、意味がありません。190万円稼ぐというのは、約2,000万円近い売り上げに匹敵すると思います。私はこうした出来事を『労務災害』とよんでいます。

　人生にもいろいろな出来事があります。私は32才の時に胃がん、13年前には肺がんを宣告されましたが、奇跡的に現在も生きております。病気になってみて初めて健康のありがたさがわかりました。毎日病室から眺める、外で元気に歩いている人をみて、「なんて幸福な人達なんだろうか？　自分もあの人たちのように白いご飯をいっぱい食べたいな」なんて

第1章 10人未満の会社　就業規則は業務マニュアルとしても活用できるか？

しみじみ思ったものです。

　会社経営も同じで、こうした『労務災害』を通して従業員のことが一番理解できてくるのではないかと思っています。

　やはり、従業員は物じゃなくて生身の人間であるということを、経営者はもっともっと考えなければならないと思います。

　いずれにしても、現在の日本では、解雇の争いについて会社側は、明確かつ相当な理由がなければ負けているのが現状です。一度インターネットで解雇の最高裁の判例を見ていただけたら十分ご理解いただけると思います。今回の事例の案件は基本的に就業規則に解雇の具体的な事由に関して記載して作成して、周知されていれば（これが非常に大切な点）、かなり違った結果になってくると思います。

　私の持論はこれからの中小企業の経営者は、働き方改革の波やコロナ禍を乗り切るためにも、3級程度の簿記と労務管理を知るべきで、労働基準法を少し勉強されて事業を始めるべきだと思います。経営者にとって売上を上げていくことは、もっとも重要な事でありますが、経営も人間の体と同じように、手や足、等があって活きるものです。売上が経営の7割のウエイトを占めると思いますが、経理・労務を軽視すると会社は病気になります。その為、我々社会保険労務士や税理士の方の商売が成立するのかもしれません。

3 　就業規則はこの際業務マニュアルとしても活用する

　これを読んでいただいている社長さんには、就業規則は作成しておかなければならないなということを、ご理解いただけたと思います。今回、せっかくこの本を手にしていただいたわけですから、もう一つ提案したいことがあります。

　日常、御社での仕事をする上でのルールがあると思います。そのルールを就業規則作成時に盛り込み、就業規則を業務マニュアルとして活用される事をお勧めします。

　例えば私どものような仕事であれば法律改正に沿った対応が必要になりますので、不確かと思ったら必ず役所に念のため確認する、報酬が入金になればお礼状を書く等、業務のマニュアルを就業規則の中で決めておけば、就業規則が単に従業員の労務管理だけでなく、経営の基本マニュアルとしても活用できるようになります。

　私は多くの中小企業を訪問させていただいておりますが、どこの会社にも他社にないオリジナルのノウハウ・マニュアルがあります。もし思いつかないのであれば、日々の仕事でやっていることが御社のマニュアル、と思って文書化することをお勧めします。そのようにしておけば、新入社員が入社した時も、導入研修がスムーズに運ぶのではないかと思います。

　ただでさえ人手がない中小零細企業です。人手不足の時

代、従業員教育など基本的にやっている時間がないと思われます。入社したら即戦力として働いてもらうというのが、中小零細企業の現実だと思います。だとすれば、こうした就業規則があることにより、従業員も安心してこの会社はしっかりしていそうだなということで、働いてくれるのではないでしょうか？　従業員の家族にも当然そのことは伝わっていくのではないかと考えます。

「解雇の判例」

日本食塩製造事件（最二小判　昭50.4.25　労働判例227号32頁）

「使用者の解雇権の行使も、それが客観的に合理的な理由を欠き社会通念上相当として是認することができない場合には、権利の濫用として無効になると解するのが相当である。」

高知放送事件（最二小判　昭52.1.31　労働判例268号17頁）

「普通解雇事由がある場合においても、使用者は常に解雇し得るものではなく、当該具体的な事情の下において、解雇に処することが著しく不合理であり、社会通念上相当

なものとして是認することができないときには、当該解雇の意思表示は、解雇権の濫用として無効になるというべきである。」

「当事務所でのお客様の事例」

ある社会福祉団体の職員は、業務が無くなったため解雇通知を受けました。ところが、それを不服とした職員から不当解雇という事で裁判になりました。解決に約1年、最終的に不当解雇ということで職場復帰をされました。この裁判を通して私なりに感じた事は、一度採用すると解雇は難しいということです。これでは、日本の会社は相当な理由がなければ解雇ができない、一方で、労働者側は法律を後ろ盾に対抗してくるわけです。

復帰した職員は十分な仕事もせずに高い給料をもらい続けているとの事です。この解決までの裁判所、弁護士・復帰までの給料の支払いなど莫大な経費と裁判にかかる貴重な労働時間を喪失しております。あなたの会社も他人ごとではないと思ってこの本を読んでいってください。

第1章 10人未満の会社 就業規則は業務マニュアルとしても活用できるか？

10分ノート（第1章のまとめ）

　経営資源の最も少ない中小零細企業の社長こそ、労働基準法では義務化されておりませんが、就業規則を作成して、経営に重大な影響を与えるような『労務災害』に遭遇した場合の対策をしておかなければならない。作成しておかなければ会社、いや社長を守れないような事態になることがある。また作成した際には、職場の業務ルールも文書化して就業規則を会社の業務マニュアルとしても活用し、売上向上の戦略として活用する。

第2章

就業規則
どんなことを書くか？

1 労働基準法にある絶対的記載事項とは？

労働基準法には就業規則を作成した時の、記載事項が定められています。
それは、下記の内容です。

その1　始業及び終業の時刻、休憩時間、休日、休暇並びに労働者を2組以上に分けて交替に就業させる場合においては就業時転換に関する事項

その2　賃金（臨時の賃金等を除く。以下この号において同じ。）の決定、計算及び支払いの方法、賃金の締切り及び支払の時期並びに昇給に関する事項

その3　退職に関する事項（解雇の事由を含む。）

その3の2　退職手当の定めをする場合においては、適用

される労働者の範囲、退職手当の決定、計算及び支払の方法並びに退職手当の支払の時期に関する事項

その4　臨時の賃金等（退職手当を除く。）及び最低賃金額の定めをする場合においては、これに関する事項

その5　労働者に食費、作業用品その他の負担をさせる定めをする場合においては、これに関する事項

その6　安全及び衛生に関する定めをする場合においては、これに関する事項

その7　職業訓練に関する定めをする場合においては、これに関する事項

その8　災害補償及び業務外の傷病扶助に関する定めをする場合においては、これに関する事項

その9　表彰及び制裁の定めをする場合においては、その種類及び程度に関する事項

その10　前各号に掲げるもののほか、当該事業場の労働者のすべてに適用される定めをする場合においては、これに関する事項

その3までを絶対的必要記載事項といい、就業規則には絶対に必要な取り決めで、それ以外は、その職場に取り決めがある場合に記載しなければいけない事項で相対的必要記載事項と言います。

いかがですか。就業規則の記載事項は前記の内容になっており、書き方とか、書式は何も定められていません。

　その為、前記の内容が定めてあれば、それだけでもOKなのです。町の本屋さんに行くと就業規則に関する本がたくさん出版されております。しかし、それは大企業用であるか、小さな会社の就業規則となっていても、最低従業員10人以上を対象にした内容です。条文は最低でも60条近い内容であると思います。その他の給与規程・育児介護休業規程などを含めれば、最低100条は超える内容となります。

　これでは、零細企業の多忙な社長が、社会保険労務士などの専門家に依頼しなければ、到底作成できないのが現状かと思います。私も正直な話、従業員5人ぐらいの会社に、100条位の就業規則を提案してきました。ただ、数名の会社にこれだけ規定が必要か、自問自答してきました。

　なにかあれば、定めておいたほうがリスク対策になるということで、お客様には説明してきました。

　10人以上であれば、義務化されており、100条位の条文も必要であると思いますが、従業員3～4人の会社はどうかということを考えると、もっとシンプルであってもいいのではないかと考えるようになりました。そのように思い、従業員3人の会社に、20条前後の就業規則を提案した結果、大変好評をいただきました。

　約1時間で説明がおわり、社長さんにご納得いただけまし

た。わかりやすくていい、というお話でした。具体的な内容は第4章で伝説の就業規則ということで記載します。記載例のような内容が規定されていれば、中小零細企業では、大概対応できるものと思います。

2 会社を守るために記載するとよい事項がある？

その1　就業規則に退職・解雇・懲戒の具体的事項を定めておけば、やむなく従業員に辞めていただく時に、または、仕事を続けてもらっては困るといった時に不当解雇と言われるリスクが大変少なくなってくると思います。なぜなら、労働基準法の定めにある解雇事由は明示してあるので、従業員に納得して辞めてもらうことが可能となります。

なにも定めていなければ、従業員とは感情的な話し合いで対応せざるをえないからです。交通違反に罰則の規定がなければ罰することができないように、就業規則で定めておくことが大変重要なことであるということは、ご理解いただけると思います。

その2　就業規則に始業終業・労働日が、明確にされていて時間外の業務は社長の許可制度にするなど、勤務時間管理における残業時間などがしっかり管理されていれば、残業代の計算について、退社したあとで私は残業代をもらっていな

いといわれたり、労働基準監督署から残業代を支払うようにいわれたりすることは、極力防ぐことが可能かと思います。

最近、一部の弁護士さんが、過払いの消費者金融会社相手の取り立ての仕事がなくなってきたので、今度はサラリーマンのサービス残業代を会社に請求するといった案件にとりかかるケースが急増するのではないかと予想されています。従って残業の多い家族的な会社は、このことに十分配慮して対処する必要があると思います。

在職中は問題ありませんが、しっかりした給与計算がなされていないと、退社してから過去3年分の残業代の請求が、ある日突然社長のもとにくるかもしれません。社長さん突然200万円支払えと言ってきたらどうしますか？

例えば月20万の給料の方が、1日8時間労働、月平均勤務日数21日の従業員に毎月平均30時間サービス残業をさせた時は毎月約4万5千円の残業代になり、仮に3年分支払うことになれば約162万円の支払いになります。但し、裁判になると未払い残業代と同額の付加金の請求もされますので、倍の324万円の支払いになることもあります。

1人支払えばその他の従業員も言ってきますから、2人の従業員だとすれば約324万円を支払うことになります。付加金も請求されるとその倍の648万円ということになります。

労働時間をしっかり管理していないで、仕事をさせてきた時は、ほとんどがその請求に対抗できず、支払わなければな

らない状況になってくると思われます。

　ですから社長さん、残業代というのは、毎月多少経費がかさみますが、退社した後で200万円とか300万円とか言われるリスクを考えるのであれば、労働基準法にしたがって毎月支払ったほうが、安心して経営できますし、従業員からも信頼されますので、いい効果を発揮してくると思います。また、社長さんも従業員の時間管理について、毎月考えないわけにはいかなくなるので、逆に経営にはプラスの効果になるのではないかと思っています。

　また、働き方改革の流れの一環として、従業員の勤務時間管理は管理監督者も強化され、未払い賃金の時効については２年から３年になりました。そうなるとさきほどの事例では付加金も含めると1,000万円以上の請求も今後予想されるところです。

　その３　会社には、日常の勤務につき守ってもらいたいことが、多々あると思います。これを服務規律として定めることは、会社経営において大変プラスであると思います。社長さんは、この程度のことは言わなくてもわかるだろうと考えても、従業員が理解していないケースは多々あると思います。これを文書化したものが、服務規律だと思っていいと思います。この服務規律をさらに進化させて、具体的な仕事の内容を文書化した業務マニュアルにまで落とし込んでもいいと

思っています。

　たとえば服務規律は具体的には、残業については、社長の許可制にする。これは逆にいうと許可なくしてした残業は残業代の対象にならないということを、定めているわけです。また、酒気をおびて勤務しないなどは、当たり前のことですが、規定されていないと、いいのかなとつい思ってしまうものです。人間の脳というのは凄いもので、一度読んだ文章とか映像は脳のどこかに保存されていると言われています。

　社長さん、20年前にみた映画でも、映像がはっきりと蘇り思いだす経験をしたことがあると思います。そうなんです、人間の脳はカメラのように記憶しているのです。われわれは、そのカメラの記憶を引き出して思い出しているのです。私の持論ですが、一般的に勉強ができるというのは、この脳の記録を引き出すことが上手か下手かが、勉強ができるできないの違いではないかと思っています。ですから、社長さん、服務規律で規定しておくことは、重要なことで無意識のうちに人間の行動パターンに影響を与えているのではないかと私は思っています。

　また、社長さん、服務規律は社長さんの会社の風土・社風といったものを作っていく時のベースにもなってくると思います。考え方によっては、会社の独自性を最も発揮できる箇所にもなってくると思います。

　また、平成28年1月から実施されたマイナンバーに対応し

た就業規則の規定の必要性も出てきましたが、今回の改訂3版では服務規律である程度規定してありますので就業規則が有効活用できるのではないかと思います。

その4　従業員が結婚式とか、お父さん・お母さんが亡くなった時、当然休暇になると思いますが、その際の定めをしておけば、給料を支払わない定めであれば、支払わなくても、大丈夫です。定めていなければ、従業員は休んでも当然給料は支払ってくれると思ってしまいます。支払わなければ社長さんはケチな人だと思われてしまいます。

従って、会社として従業員にできないようなことは、就業規則に事前に定めておけば、従業員に余計な期待も与えないので、業務をスピーディに進めることが可能であると思います。結婚するので1週間休暇をください、と言われて、給料を支払うならいいですが、支払わないのであれば、この休暇は無給だとは言いにくいのではないかと思います。従って中小零細企業では有給にできない状況にあるならば、その代わり有給休暇があれば、それを消化してくださいと有給休暇の促進を図ったほうがベストな対応かと思います。

その5　お金に関すること、例えば賃金の構成、基本給の考え方、昇給、賞与、退職金など規程にしておくことは、従業員が最も気にするところなので、しっかり規程しておく

図　マズローの欲求5段階説

ことがトラブル防止にもなりますし、従業員のモチベーションアップ対策にも大きな影響をあたえる箇所かと思います。このことを考える上で、アメリカで有名な心理学者アブラハム・マズローの欲求5段階説は大変参考になると思いますので、紹介したいと思います。社長さんには知っているよと思っている方も多いと思います。それほど有名な学説でいろいろな分野で活用されています。この学説は労務管理には私

第2章 就業規則 どんなことを書くか?

は大変参考になると思っています。

マズローが唱えた欲求5段階説では、図のように、人間の欲求は5段階のピラミッドのようになっていて、底辺から始まって、1段目の欲求が満たされると、1段階上の欲求を志すというものです。生理的欲求、安全の欲求、親和の欲求、承認の欲求、自己実現の欲求となります。生理的欲求と安全の欲求は、人間が生きる上での衣食住等の根源的な欲求であります。労務管理でいえば、失業していた人が、やっと就職できたとかいう状況です。従ってこの段階の人はとにかく給料がいくらもらえるかが、一番重要な課題になります。ですからこの段階の方のモチベーションアップには、給料の多い少ないが最大の関心ごとになってきます。その欲求がみたされると次の欲求である親和の欲求は、他人と関わりたい、他者と同じようにしたいなどの集団帰属の欲求です。この段階の人は労務管理でいえば、入社2・3年目の従業員が該当してくると思います。

先輩従業員の方に早く一人前に認められたいと考えている状態で、給料は当社は世間並みの水準かどうかなど、賞与はどれくらいかなど気にしてくる段階で、モチベーションアップには給料だけでなく、仕事に権限や達成感などを与えることが必要になってくる段階かと思います。そしてその段階も達成すると、次の欲求は、承認の欲求と言われるもので、自分が集団から価値ある存在として認められ、尊敬されること

を求めてくる、いわゆる認知欲求が起きてきます。労務管理でいえば、仕事もベテランになり、課長、部長といった地位に目覚めてくる段階ではないかと思っております。ですから、この段階の従業員はお金よりむしろ役職がモチベーションアップに影響を与えるのではないかと思います。そして、この段階の欲求も達成すると、人は自己実現の欲求という、自分の能力・可能性を発揮し、創造的活動や自己の成長を図りたいという欲求に成長していきます。労務管理でいえば、自分に権限を与えてもらい、あるプロジェクトをやり上げるとかになると思います。

　この段階の従業員はお金より、むしろ仕事のやりがいがモチベーションにつながってくるのではないかと思っております。ひとつ気をつけなければならないのが、ここまでレベルが上がった従業員は、そうです、社長さんが恐れていることです。独立してやがて自分のライバルになってしまうことが考えられます。いかがでしょうか？　従業員の労務管理はこのような大局的な視点で、この従業員にどの段階の刺激を与えればやる気がおこるかを考えてやることです。ただ給料だけをアップしても効果がある人とそうでない人がいるということを考えながら、給与関係の規程を作成する必要があると思います。そのことは、会社の従業員のモチベーションアップには、社長さんが思う以上に重要であると思います。

第2章 就業規則 どんなことを書くか?

その6 東日本大震災・熊本地震のような震災や災害が発生したとき、社長さんならどうしますか?

まず、従業員の雇用をどうしていくか、大変な問題だと思います。雇用についてはプロローグでお話ししたように、解雇ということで、打ち切ることは可能です。

しかし、問題は長年勤続してきた従業員がいる時は、被災者はみなお金に困っていますので、退職金の支払の問題が出てきます。地震があったので支払えないということはできません。すぐ支払える会社であればいいですが、それほど余裕のある会社はほとんどないと思われます。この対策として、この際退職金規程が定めてある会社であれば、甚大な災害の発生したときは、保険会社の保険金の支払の免責のような、減額か免責のような規定をこの際改定して加えておくべきではないかと思います。これに関しては従業員も不利益変更だとは言ってこないと思われますので、同意は得やすいと思います。

また、会社をなんとか継続してやっていけると判断した時は、休職規定の休職制度を活用して、半年ほど休んでもらって事業を再開するなどのシナリオが描かれます。大震災による休業ですから、事業主都合ではありませんので、この間は賃金の支払が仮にできなくても違法ではありません。社長さん、御安心ください。

事業が少しできるようになれば、国の雇用調整金などの助

成金を活用しながら、雇用を継続して人件費の負担を軽減していくことも対策の一つかとも思います。

このようなシナリオも就業規則に定めてあれば、大震災のようなケースでも、社長さん、次にどうして事業を継続していくかが、自然とイメージできます。そして東日本大震災や熊本地震のような災害で甚大な被害をこうむられた方々の一刻も早い復興を祈るばかりです。

昨今のコロナ禍では、多くの会社が雇用調整助成金を活用して、雇用の維持を図っています。今回の改訂版ではコロナ対策としてのテレワークにも対応できる規定にしてあります。

3 最近の労使トラブル、パワハラ・在職強要など

前章で不当解雇の話をしました。13年ほど前は、この不当解雇が労働基準監督署などへの相談の多数を占めていまいましたが、近年はなんとパワハラが相談の多数を占めるようになってきたとのことであります。

そして次が会社が辞めさせてくれない退職の問題、在職強要など現在の人手不足に絡んだ相談が多くなってきたようです。このパワー・ハラスメントとは、同じ職場で働く者に対して、職務上の地位や人間関係などの職場内の優位性を背景に業務の適正な範囲を超えて、精神的・身体的苦痛を与えた

り職場環境を悪化させる行為と言われております。

2022年4月から、いよいよ中小企業にもパワハラ防止法が適用となりました。中小零細企業では、就業規則規則にパワハラ規程と相談窓口を設置することが対策のポイントではないかと思います。今回の改訂版では相談窓口を規程化してあります。

また、社長さんが考えなければいけない問題点の一つとしてパワハラをした上司と共に会社も連帯責任を負うことになってくるということであります。中小零細企業では従業員は10人前後なので、社長さんがしっかり見ていないとこのパワハラは間違いなく、被害をうけた方が退社していってしまうということであります。これだけ人手不足が深刻化してきており、まして中小零細企業であればその退職リスクは大手企業以上に大きいものがあると思います。

在職強要についても、民法627条1項に2週間の予告期間をおけば、労働者はその理由の如何を問わず辞職することができると定められており、退職の申し出を断ることは原則難しいのが現在の日本の状況であります。

働き方改革で有給休暇・残業規制などが法律に定められたので、たとえば違反して、労働者が有給休暇を請求したにも関わらず、まったくあたえないような悪質なケースなどですと、労働基準監督署への申告ではなく、最寄りの警察などに直接告訴ということも考えられる時代になってきたようで

す。東京などでは、労働基準法違反で最近はこのような警察への直接告訴も増加しているようです。警察は一般の事件としてたんたんと処理をしていきますので、労働基準監督署以上に対応は厳しいものになってくると思われます。

　このような対策のためにも、零細企業だからこそ就業規則に防止規定や、働き方改革に対応できる就業規則の作成の必要性が益々必要となってきたのではないかと思います。また、社長さんも基本姿勢として、残業規制や有給休暇の促進などは、勤務時間が少なくなった分従業員の自己研鑽や自己投資の向上につながり、働く人の一番大事な健康を守ってあげるんだという気持がベースになければならないと思います。そのことが働き方改革の推進に結果的につながってくると思います。そのようなことも考えると、もはや10人未満だから、労働基準法では義務化されていないからといって、就業規則を作成しなければ他社との競合・競争・人手不足対策にどんどん後れを取ってしまうと思います。

4　小さな会社こそユニークな経営理念を

　社長さんの会社に経営理念はありますか？　なんて質問するとほとんどの中小零細企業は作っていないと言います。いろんなコンサルタントの方は、経営理念がないと経営は伸びない等、これに関しては様々な意見があります。

第2章 就業規則 どんなことを書くか?

　私の提案としては、他社のあの経営理念はいいなとか、普段自分が考えていることがあれば、それを明文化すればいいと思います。よくある経営理念として、社会の発展に貢献し、従業員の幸福を築くことを目的とするとか、こんな感じのものが多いです。

　あまり深く考える必要はないと思います。私の考えでは、創業して10年ほどたってようやく自社の経営理念のようなものが、明確にできてくるのではないかと思います。最初は他社の物真似でもいいと思います。従業員からみれば、抽象的なありきたりの内容であっても、うちの会社の社長はロマンを持った立派な社長なんだと思わせるだけでも効果があると思います。

　そんなことはない、私は志も高く自分の経営哲学を持っているという社長であれば、最初からしっかりと就業規則の中に記載して、明文化することは、経営において重要なポイントの一つであると思います。参考資料（160頁）に、ある中小企業の経営理念をのせてあるので参考にしてください。

　また、金融機関などに対しても、この会社の社長は志も高く将来期待できるのではないかといったプラス効果もできてくるのではないかと思います。

　ちなみに私の事務所の経営理念は、「共に感動と感謝の創造」で、これを名刺と就業規則に記載してから21年が経ちました。自分ではこれで納得しています。石川県の同業者で経

営理念などある事務所はほとんどないと思います。

しかし、日ごろから、当事務所では自分なりに自然と工夫して感動と感謝の創造に取り組んできております。そう考えると、発想の原点のような気がします。だから、経営理念を定めることは、無意識のうちに自分の考えの原点のようなものを作っていくものと思っています。

中小零細企業の事業所は、社長さんが経営の9割以上のウエイトと占めると思います。私は、22年間、大手保険会社の拠点長を6店舗ほど担当しました。職員は平均30人ぐらいの営業所でしたが、いつも思うのは、拠点長が変わると売上も変わるということです。

ランチェスター経営で有名な竹田先生のお話でも100人未満の会社は社長で96パーセント10人未満は99パーセント決まるとお話しされておりますが、正にその通りであると思います。仮に、社長さんが自分の会社の3～4人の従業員が出来が悪いから、仕事がうまくいかないなどと思っていたとしたら、それは社長さん、あなたのことであると思います。従業員は社長さんの鏡であると思えば、間違いないと思います。

それでは、どうすればいいのか。その答えは社長さん御自身が成長するしかないのです。その材料の一つとして就業規則の中に、社長さんの想いや夢や行動規範を明文化して、その想いを会社のルールにされたらいいと思います。

第2章 就業規則 どんなことを書くか？

10分ノート　会社の経営理念をメモる

　就業規則は、労働基準法で定められた記載事項を定めておけば問題がなく、その他のことは自由に定められる。

　自社の経営理念は定めないよりは定めたほうが、いろいろな面で会社経営にメリットとして反映してくる。

第3章

経営の中で就業規則は、どう位置づけるか？

1 会社経営と法律と働く人との関係をキソク化、文章化し、ミエル化する

　時々私共の同業者で、あなたの会社の就業規則を改定すると、従業員のモチベーションを引き上げられ、さらには売上アップにつながっていきます、といったフレーズで、営業活動をしている方を拝見しますが、私の経験では、そこまでは、なかなか期待できないと思います。

　そこで、社長さんに質問します。経営全体の中で、労務管理は何パーセントのウエイトをしめておられますか？　こう質問されても、ほとんどの社長は答えられないと思います。

　何故なら、今までそのようなこと考えたこともないからです。

第3章　経営の中で就業規則は、どう位置づけるか？

　私は経営の全体図はランチェスター経営で有名な竹田先生が提唱されているように営業関連（53％）・商品関連（27％）・組織関連（13％）・財務関連（７％）のウエイト付けで考える必要があると思っており、我々の人間の体でいえば、頭であったり、手であったりと、どの面もなくては駄目なように、必要な要素です。

経営の構成要因

①地域、客層、営業方法、顧客対応	53.3%	営業関連　80%
②商品、有料のサービス	26.7%	
③人の配分と役割分担	13.3%	手段　20%
④資金の配分と調達	6.7%	

　この中で営業関連と商品関連の合計が全体の８割にもおよぶことを理解しなければならないと思います。様々な経営コンサルタントが、IT化しろとか、社員研修して従業員のモチベーションを上げましょうとか、いろいろな切り口でアプローチしてきます。どれも、必要かと思いますが、経営全体のウエイト付けから検討して、どこから改善していくか考えていかなければならないと思います。

　組織関連いわゆる労務管理は経営全体の13％の比率という視点で考えていくならば、就業規則を改定して社員のモチベーションが向上し、売上も連動して上がるといったことは、成功するケースもありますが、なかなか難しいと思われます。

しかしながら、この13％を無視すれば経営はうまくいかなくなってくるのは、ご理解いただけると思います。

ご存知のように、働く人を守るために労働基準法という法律が昭和22年に施行されています。ですから、人を雇う際、労働基準法をある程度理解しておくことは良識のある経営者であれば、当然の義務であると思います。働き方改革が施行されたことでなおさらであります。この本は労働基準法を解説するためのものではありません。多忙な社長さんのためにどうすれば、労務管理がスムーズに運営できるか、そのために就業規則をどのように作成するべきかをテーマにした本です。

本著を基に就業規則を作成し、実施すれば、それが自然と労働基準法を順守した結果につながっていきます。ですから、これで、労務管理のベースはできたことになります。

いかがですか。経営全体の13％以内に労務管理の仕事をウエイト付けることは十分達成できると思います。社長さんは心おきなく売り上げアップの戦略を常に考えていかなければなりません。いかに、立派な就業規則や賃金制度を作成しても、売上が上がらず倒産してしまっては、なんにもなりません。

だからといって、労務管理をしなくていいわけではありません。人間の体と同じで、多少の病気でも、生きていくことはできますが、他人からどんどん遅れをとっていきます。

第3章　経営の中で就業規則は、どう位置づけるか？

　人はときどき病気をするように、会社経営も病気があります。それは、この本で紹介した、労務の問題であれば、『労務災害』であり、商品関連であれば、それは不良品であり、営業関連であれば、売上不振です。営業不振は人間でいえば、がんのようなものです。早期に手をうてば、治る確率が高いですが、末期になれば、会社でいえば倒産に至ります。ケースに応じていろいろな対策があると思いますが、どのケースでもその病気にならないため、一番重要なことは、予防です。その視点で考えるならば、中小零細企業における労務管理の予防として、従業員の入社から退社までのルールである就業規則を作成しておくことが重要課題のひとつであると私は主張します。

　社長さん、いかがですか。就業規則の経営全体のなかでのウエイト付けをご理解いただけましたでしょうか？　規則を作成して周知すれば、それは即、人間で言えば病気を予防することにつながっていきます。

　また、就業規則のミエル化は、会社経営とそこで働く従業員との間で法律と会社のルールを明確にして、従業員の行動パターンを無意識のうちに作っていくのではないかと思います。たとえば、服務規律に電話は呼び出し音３回以内に受話器を取ろうと規定して周知しておけば、お客様からの電話を素早くとる習慣になってくると思います。早く受話器を取りますので、取った従業員も声にも活力があり元気に対応して

くれるようになるのではないかと思います。これは一例ですが、なにも規定しないで会社経営していくのとでは、細かいことですが、違ってくると思います。なにせ、お客様から好かれ、気に入られなければ、中小零細企業の経営はうまくいかないと思います。

就業規則とは何か？（3つの視点で就業規則を知る）	①法律（労働基準法）	(1)作成・周知・届出義務		
		(2)記載する事項	絶対的必要記載事項	1．労働時間・休日・休暇に関する事項 2．賃金に関する事項 3．退職に関する事項（解雇の事由、定年制を含む）
			相対的必要記載事項	1．退職金に関する事項 2．賞与に関する事項 3．災害補償及び業務外の疾病扶助に関する事項 4．表彰及び制裁の種類及び程度に関する事項 5．休職に関する事項 6．その他従業員のすべてに適応される項目
	②経営（組織対策）	経営者の持つ雇用三権利（採用する・働いてもらう・辞めてもらう権利）を合法的に行使するための就業規則		
	③働く人	就業規則に経営者の経営に対する意識を明文化し、周知することによって従業員との信頼関係を深めることができる。		

2 就業規則は社長さんと従業員のケイヤク内容

　社長さん、いろいろここまで読んでこられて、就業規則に対して以前より必要だとご理解していただいたと思います。また、就業規則は社長さんと従業員との契約内容であるとの見方もできます。なぜなら、始業・就業の時刻、休日の定め、

第 3 章　経営の中で就業規則は、どう位置づけるか？

休暇の定め、賃金の支払いの定め、退職の定めなど、入社から退社までの会社生活で最低順守しなければならないルールが記載されているからです。私が仕事をしていて、一番多く見受けられる、中小零細企業の社長さんのケースとして、休暇のなかでも有給休暇の取り扱いに問題が多いようです。ある社長さんになると、有給休暇のことは知られたくないのか、就業規則を金庫の中にしまっておくとか、就業規則から有給休暇の条文を削除してあるとか、比較的この休暇については、消極的です。確かに、中小零細企業では、ただでさえ少人数でやっていて、休まれたら会社が回らなくなってとても与える余裕がない、そういったお話がほとんどです。確かにそれは真実かと思います。

　私も、開業して事務員を雇った後、勤務を始めてから 6 カ月を経過したので有給休暇をくれませんか、と申し出を受けた時には、ビクッとしました。

　顧問先の社長には有給休暇は法律で定めてあるんですよ、とお話していましたが、いざ、わが事務所で初めて言われた時には正直この忙しいときになにを言っているんだということで、正直な話、腹が立ったのを今でも覚えています。ですから、社長さんの気持ちは十分わかるつもりです。

　私は、正直しぶしぶ OK したことを思い出します。またその子が退職する時、有給休暇の未消化分も退職するときに、請求された時も腹が立ったものです。今では、うちの事務所

では6カ月経過したら、全員請求してくるようになりました。今では特に、腹も立ちませんが、少人数でやっておりますので、やはり、多忙な時に請求されるとつらいものがあります。もし、有給休暇を与えないと言ったら、従業員は労働基準監督署に相談に行くかもしれません。会社側は対抗できないので、与えざるをえなくなってくると思います。ただ、会社側には多忙な時に請求された時は、その他の日に変更してほしいという時期変更権がありますので、多忙な時は話し合いで変更してもらうべきであると考えます。私の経験でいえば、有給休暇を知られたくないと思っていても、それは社長さんの思い過ごしであり、従業員はインターネットなどを通して、社長さん以上に有給休暇のことを理解していると思います。逆に言うと、なにも言ってこない会社の従業員は会社のことを考えて、または、社長さんに世話になっているからということで、有給休暇を請求しないと思ったほうが正しいと思います。

　社長さん、もし、あなたの会社の従業員が有給休暇のことを一度も請求してこないとすれば、なかなか社長さん想いの良い従業員であると思います。ただ、有給休暇は本人の請求がなければ権利は発生しませんので、従業員の自由な意思で請求がなければ、仮に、一日も与えなくても労働基準法違反にはならないので、ご理解の程お願いいたします。

　ただし、働き方改革により法改正（平成31年4月施行）が

あり、現在は事業主の従業員への同意のもと時季を指定して毎年5日の有給休暇を取らせることが義務化になっていますので、一日も与えなくてもいいということにはなってきません。ただし、有給休暇が5日以上取得されている時は、事業主の従業員への時季指定は必要ありません。

次に、従業員に対する退職時の契約内容を考えてみたいと思います。

退職に関する規定は、大きく3種類の形があります。
　　その1　退職（自己都合退職）（定年退職）
　　その2　解雇（整理解雇など）
　　その3　懲戒解雇
　　その他　退職金を支払うかどうか
上記の定めをして契約することになります。

今の労働基準法によれば、この定めがないと、民事上で訴訟になれば、かなり不利になります。なぜなら就業規則などで明示義務が課せられているからです。就業規則の絶対的記載事項にもなっています。

この規定の内容は次の章の伝説の就業規則中で詳細に出てきますので、ご参考にしていただきたいと思います。

ここで社長さんにお願いしたいことは、結婚は簡単であるが、離婚となると大変苦労するように、従業員も退職する時はそれなりの配慮が必要ということです。

離婚時には、慰謝料の支払いがあるように、退職時にも、もめる時はお金が解決の決め手になります。従って、退職金制度があるとか、ないとかいったことも、決めておく必要があると思います。私の個人的な考えは、10年も勤務してきた従業員が退職するときは、退職金の多い少ないはあると思いますが、10年勤務してくれたので退職金100万円渡したら、いい社長さんだったなと感謝してくれると思います。そんなかたちで退職していった従業員は退職後もあなたの会社を応援し続けてくれると思います。これが何もなければ、一生懸命働いたけど、あの社長はケチな社長だったな、と思われても不思議ではないと思います。今後あなたの会社の悪口は言っても応援団にはならないと思います。退職した従業員から、あの会社に働いてよかったといわれるような会社にしたいものですね。そのスタートはやはり就業規則で従業員との契約内容を定めておくことが、相互信頼につながってくるのではないかと思います。

　次に、毎月の賃金で、時間外労働に関する残業代の支払いについては、中小零細企業ではややもするとサービス残業が多くなってしまうケースが予想されます。そこで、営業手当のなかに、残業代が含まれているとか、賞与は支払うのか、昇給はあるのかといったことは、従業員も関心が高いので、しっかり定めておく必要があると思います。仮に月給30万円の従業員が毎日1時間残業したとすると、2年間で約100万

円になります。この残業代の請求はタチが悪く、退職して2～3カ月してから、内容証明郵便で請求してくるケースが多いです。社長さん、あなたの会社が残業がないか、あってもしっかり支払っている会社であれば心配はいりませんが、そうでなければ、いつも『労務災害』による隠れリスクを抱えていくことになります。このようなことが無いよう、正しい給与計算をしておくことが必要かと思います。

3 就業規則はどんな書式でも OK

　ところで社長さん、就業規則といえばどんなイメージをもたれますか？　なにか堅い印象で、いかめしい書類で、堅苦しいイメージであると思います。なにも法律で、どのような書類で作成しなければならないといった規定があるわけではありません。書類の形式は逆にいうと自由です。私はお客様に、当事務所独自の「オリジナルの就業規則」と書かれた革張りのファイルを作成して、その中に、わりと厚手の高級な紙を使用して、お渡ししています。社長さんがうちの会社は、カラーの派手な書類で作成したいということであれば、それでもいいと思います。社長さんが、一番良いと思った書類で、思い切って自由に作成されればいいのではないかと考えています。社長さんの会社でオリジナルの書式ホームがあればそれでもいいと思います。

> **10分ノート**
>
> 　会社経営の中で、就業規則は労務管理のベースになるものであり、中小零細企業において作成しておくことは、経営における『労務災害』を未然に防止する効果があり、従業員との人間関係と信頼を深める効果も十分期待できると思われます。

第4章

伝説
「10人未満の会社を守るための
シンプル規則」

1　絶対的記載事項を定めれば、書式は自由なのだ

　ここまで読んでこられた社長さん、もうそろそろ余計な解説はいいから、伝説の就業規則とやらを早く教えてくれないか？　私は忙しい、と言われそうです。なお、書式についても、で・ある調、です・ます調等、自由ですので、若い社員が多い会社は、です・ます調で、また年配の方が多い会社であれば、で・ある調がいいのではないかと思います。

　それでは、社長さん伝説の就業規則を、次に記載しますので、一度全文をサーと読んでいただきたいと思います。

従業員就業規則
（伝説の就業規則）

（この規則の目的とするところ）
第1条　この規則は、○○○○○○（以下、「会社」という。）の従業員の、採用から退職までの労働条件その他の就業に関する事項を定めたものである。なおこの規則は会社の機密文書であるため、所定の場所から取り外したり、複写したり、社外の者に閲覧させたり、社外に持ち出してはならないものとする。

　　『この条文は比較的どの就業規則にも記載されています。ただし、この条文に就業規則を機密文書と規定してありますので、勝手にコピーとか社外の者に閲覧できないと定めています。また、この条文には多くの就業規則が、この定めにないことはその他法令による、と委任規定を定めているケースが多いです。しかし、会社を守るリスク対策ということで考えればその条文はあえて削除したほうが安全だということでのせていません。』

（採用方針）
第2条　会社は就業を希望する者から、会社の選考により決定し、必要な書類の提出のあったものを試用期間3カ月を経過した後、当社の経営方針に同意し、適格性に問題なければ本採用とするものとする。この規則以外の労働条件を定めた時は個別の雇用契約書の定めに従うものとする。

　　『採用の条文で社長さんの検討するところは、試用期間を何カ月にするかであると思います。一般的には3カ月が多いです

が、社長さんがうちの会社では3カ月間では分からないということであれば、6カ月とかでもいいと思いますが、あまり長いと労働者を不安定な状況に置くため、無効とされることがあります。試用期間を設ける利点は、解雇の争いがあった時は試用期間中であれば、解雇が比較的有利にできるからです。雇用契約のうち、解約権留保つきの時期であると言えます。中小零細企業では従業員の規程の他にパート規程とか、嘱託規程とか定めればベターですが、できなければ、正社員以外の従業員の採用は個別契約書に定める、こちらでも OK です。労働基準法では従業員の採用に関しては文書で明示しなければならないと定めています。文書で定めてなくても民法上、契約は口頭の合意でも成立はしています。実務上では中小零細企業ではまだまだ、口頭だけの合意は多いのが実情です。しかし、後でトラブル防止の視点で考えれば、文書化しておくことは、リスク対策上も必要かと思います。』

(始業、終業の時刻および所定労働時間、就業場所)
第3条　始業、終業の時刻および休憩の時刻は、次のとおりとする。

> 始業　午前8時30分
> 終業　午後5時30分
> 休憩　午前10時00分～午前10時15分
> 休憩　午後00時00分～午後1時00分
> 休憩　午後3時00分～午後3時15分
> 始業とは業務を開始する時刻であり、終業とは終了時刻である。
> 出社及び退社の時刻ではないものとする。

1日の所定労働時間は実働7時間30分とする。ただし休憩時間、始業終業の時刻は業務の都合により変更することがある。また所定労働時間を超えて、時間外労使協定の範囲内で労働を命じることがある。
(2)　勤務場所は原則会社であるが、コロナ対策や育児休業等により希望する者は、自宅、サテライトオフィス等でのテレワーク勤務を許可することがある。

　『労働時間に関しましては、御社の始業と終業の時間と休憩時間を除く1日の労働時間を定めればOKです。ここで重要なのは1日の労働時間を何時間に定めるかです。1日8時間を超える労働時間は、労働基準法違反になりますので、基本的には殆どの会社は7時間から8時間の範囲内に定めているのではないかと思います。

ご存知かと思いますが、1日8時間1週40時間を超える労働をさせる時は、時給単価の2割5分、休日労働の時は3割5分、1カ月60時間を超える部分は5割増し（ただし、中小企業等については2023年3月まで2割5分）の割り増し賃金が必要になります。これを支払っていないと、従業員が退社したあとに、未払い残業代を支払えといった内容証明郵便が届くといった「労務災害」が発生する恐れがあります。また、コロナ禍などでテレワーク勤務を実施するときは、希望した者で、許可制にしておくことが一番中小零細企業では運用しやすいと思います。テレワークにおける悩ましい勤怠管理については第10条服務規律第2項で記載しております。』

第4章　伝説「10人未満の会社を守るためのシンプル規則」

（休日および変形労働時間制）

第4条　休日は、次のとおりとする。

1．毎週日曜日および国民の祝祭日
2．夏季休暇4日間・年末年始5日間
3．その他会社が定める日
4．会社カレンダーがあるときはその定めによる
5．業務の都合により休日を変更することがある。
6．1年単位叉は1カ月単位の変形労働時間制を採用するときは休日はその協定によるものとする。
7．1週間に2日以上の休日があるときは、その中の1日を法定休日とする。

　『社長さん、私は中小零細企業であれば、労働時間を正月やお盆休みやゴールデンウイークなどの休日を計算にいれた1年単位の変形労働時間制をお勧めします。1日8時間労働であれば年間休日は105日以上あればOKです。

　もし変形労働時間制を採用してなければ1日8時間労働であれば、ほぼ完全週休2日制で年間休日は上場企業のように125日前後は必要になってきます。なにも8時間以上働かせてはいけないというのではなく、時間外労使協定を協定して労働基準監督署に届け出れば働かせてもOKです。ただし、その時は割増賃金を支払わなければ、労働基準法違反で、罰則の規定まであります。ですから、同じ仕事をするにしても1年単位変形制を導入するかしないかで、年間20日分の残業代が発生するかしないかといった人件費に重大な影響を与えてきます。私の今までの経験では意外とこの点をご存知ない社長さんが多いです。

　ただし、今日の人手不足を考えると、若い人は入社の条件に年

間休日日数を基準の一つにしているようです。大企業では年間休日が120日以上が約半分で、30人から99人までの会社で105日前後が約36％であるようです。なので求人という視点でみると年間休日は少なくとも120日以上ないとなかなか厳しいものになってくるのではないかと思われます。』

(休日の振替)
第5条　業務の都合でやむを得ない場合は、前条の休日を2週間以内の他の日と振り替えることがある。
(2)　前項の場合、前日までに振り替えによる休日を指定して従業員に通知する。

　　『休日の振り替えについては、代休とよく勘違いしているケースが見受けられます。振り替え休日は事前に今週の日曜日お休みの日だけれど、業務の都合で、今週の木曜日を休日とし、そのかわり日曜日を就業日に振り替える制度で、休日そのものが振り変わってしまいますので、休日に労働をさせても賃金の必要はないという制度です。ただしその結果その週の労働時間が40時間を越えるときは、割増賃金の支払いは必要になります。代休というのは、事前に休日を指定しないで今週の日曜日業務の都合で働いてくれといったケースです。このケースは割増賃金が発生してきます。ですから社長さん休日にやむ得ず働かせる時は、事前に休みの日を指定して振り替え制度を活用することお勧めします』

(年次有給休暇制度)
第6条　従業員に対し、本人からの請求に基づき労働基準法

第4章　伝説「10人未満の会社を守るためのシンプル規則」

に定める年次有給休暇を与える。ただし、多忙な時は時期を変更することがある。また、取得日が5日に満たない場合は、会社は従業員の希望を踏まえて時季を指定して年次有給休暇を与えるものとする。会社との労使協定により、計画的に時季を定めたときは、当該労使協定に従って取得しなければならないものとする。

　『年次有給休暇については、ほとんどの就業規則に日数が記載されています。この伝説の就業規則では、具体的日数は記載せず、労働基準法に定める内容とする、にしてあります。私は労働基準法の日数を記載してもいいと思いますが、中小零細企業では人手不足で有給で休まれると、人材がいないので、会社が回らなくなってしまうから、できれば明確に載せないでもらえないかといった経験が多いのであえて、具体的な日数は記載していません。しかし、この有給休暇については、コロナ禍も終わり、またコロナ禍以前の売り手市場の人手不足になってきた時は、有給休暇も法律どおり付与できないような会社ですと、もっと労働条件のいいより大きな会社に転職してしまうといったことも考えないといけないのではないかと思います。社長さんで、うちの会社では有給休暇なんてとても与えられないとお話しされる方も多いですが、今回の働き方改革の改正法では30万円の罰則もでき、もはや与えないですまされる時代ではなくなったと考えを変えなければいけない時代になったと思います。（ただし、会社の時季指定については、従業員が年次有給休暇をすでに3日間消化しているのであれば、5日間でなく2日間時季指定して付与すればいいということになります。）

　また、会社によってはバラバラに有給休暇を取得されると会社

が回らなくなってしまうので、業務の都合上計画的に各人が有する年次有給休暇の5日を超える日数分を上限に、労使協定により計画的に付与する方法も選択肢の一つであります。労使協定のサンプルは巻末資料に掲載しております。』

(休職の制度)
第7条　従業員が次に該当する時は、休職とする。
1．業務外の傷病（傷病理由を問わず）により、欠勤となり1カ月以上にわたるとき、または、業務外の傷病による欠勤が前3カ月間で通算して30日目になったときには、2カ月間の休職期間を与える。その間の賃金は支給しないものとする。ただし、健康保険に加入している人は基準を満たせば、その制度から所得補償を受けることができるものとする。
2．前号の他、特別の事情があって休職させることを必要と認めたときには必要な範囲で会社が認める期間与えるものとする。
3．業務上の災害により、欠勤となる時は、労働基準法・労働者災害補償保険法の定めるところにより、必要な休業補償、療養補償を受けることができる。

『休職の規定は労働基準法の絶対的記載事項ではありませんが、定めておかなければ、病気で働けなくなったから、解雇するということは、できないことはありませんが、人としてなかなかできないものです。ここで、2カ月とか3カ月と規定しておけば、家族の方に、残念ですが当社の規定により復帰できない時は退職となります、と言えると思います。

第4章 伝説「10人未満の会社を守るためのシンプル規則」

ちなみに上場企業は1年といった規定が多いです。』

(特別休暇制度)
第8条　従業員が、次の各号のいずれかに該当し、本人の請求があった場合に、当該事由の発生した日から起算して、それぞれの日数を限度として与える。

	事　　由	休暇日数
1	本人が結婚するとき	5日
2	子が結婚するとき	2日
3	実兄弟姉妹が結婚するとき	2日
4	実養父母、配偶者、子が死亡したとき	4日
5	配偶者の父母および兄弟姉妹が死亡したとき	2日
6	その他、会社が特に必要と認めたとき	会社が必要と認めた期間

(休暇日数はあくまでも参考例です)

(2)　特別休暇を受けようとする従業員は、事前又は事後速やかに届け出て、会社の承認を得なければならない。特別休暇の間の賃金は、社員の喜びと悲しみを分かち合うという意味で原則有給扱いとする。ただし、会社の都合によっては、無給とすることもある。

　『この特別休暇制度についても労働基準法における絶対的記載事項ではありません。しかし、従業員を雇用している以上、従業員の結婚や悲しい時には、会社はやはり、それなりの福利厚生制度を導入するべきだと思います。この規定はある意味で御社の福利厚生制度の一部であると考えて日数を定めるべきであ

ると思います。中小零細企業の多くは、特別休暇は無給扱いで、本人の希望により有給休暇に振り替えるといった制度導入が多いようです。ただし、慶弔休暇は頻繁にあるわけではなく、結果的に有給にするのであれば、最初から有給とする方が会社への愛社精神のためにも良いと思います。』

（その他の休暇等）

第9条　従業員は、個別の法律の定めるところにより、産前・産後休暇、生理休暇、育児時間、育児休業・看護休暇、介護休暇、介護休業、公民権行使等の時間を利用することができる。特に育児休業については、妊娠、出産の申し出があったときは制度の周知と取得の意向を会社は確認するものとする。

(2)　本条の休暇等により休んだ期間については、原則として無給とする。ただし、産前産後休暇・育児休業・介護休業のときは、健康保険・雇用保険に加入している人は、基準を満たしていればその制度から所得補償を受けることができるものとする。

　　『その他の休暇については、この規定に記載の内容はすべて法定事項になっております。年々変化している内容であり、中小零細企業の場合、就業規則にその詳細規定まで記載しなくても、この規定の記載の仕方で、ある程度運用はできると思います。育児休業については、2022年4月から周知と意向確認が義務化になりましたので、条文に記載してあります。このような対応も中小零細企業でも対応していかないと求人で人が集まらない会社になってしまう可能性があります。』

第4章　伝説「10人未満の会社を守るためのシンプル規則」

（服務及び業務マニュアル規程について）

第10条　従業員は、常に次の事項を守り服務に精励しなければならない。この服務及び業務マニュアルに違反する時は懲戒処分の対象となることがある。

1．業務上の指揮命令及び指示・注意に従うこと
2．正当な理由なく遅刻、早退および欠勤等をしないこと。テレワークのときは、業務の開始時および終了時において、電話、電子メール、勤務勤怠ツールなどで会社に連絡するものとする。テレワークにおいて、やむなく労働時間が算定しがたい状況のときは、事業場外労働によるみなし労働時間制を採用することがある。
3．時間外の業務が必要なときは、社長の許可を得てからすること、残業時にはダラダラ残業はしないこと
4．会社の名誉を害し信用を傷つけるようなことをしないこと
5．会社・取引先の営業秘密その他の機密情報や会社・取引先の保有する個人情報及び特定個人情報（以下「会社情報」という。）を本来の目的以外に利用、漏洩（毀損、複写等を含む）し、又は会社情報や会社の不利益となるような事項を他に漏らし、又は私的に利用しないこと（退職後においても同様である。）
6．税務・社会保険の手続きの関係で個人番号（マイナンバー）に関して、書類の提出を求められたら、拒んではならない。
7．個人番号（マイナンバー）の事務を取り扱う者は番号が漏洩しないように番号法を順守して厳格に業務を行わ

なければならない。
8. 会社の車両、機械、器具その他の備品を大切にし、原材料、燃料、その他の消耗品の節約に努めること
9. 会社の製品・商品および会社情報・資料等を傷つけたり紛失・消去等しないこと
10. 業務上の都合により配置転換・転勤を命ぜられた時は、従わなければならない。
11. 酒気をおびて通勤し又は勤務しないこと
12. 職場の整理・整頓・清潔（３Ｓ）に努め、常に清潔に保つようにすること
13. 自らの安全と健康に留意し、安全衛生に関する会社の指示命令に従い、災害防止に努めること
14. 作業を妨害し、又は性的言動等により就業環境を悪化させるセクシュアル・ハラスメント又はパワーハラスメント、マタニティハラスメント等の行為、その他職場の風紀秩序をみだすような行為をしないこと。そのために、会社は相談窓口を設置するものとする。
15. 会社の定める業務マニュアル規程に従って仕事をしなければならない。
（業務マニュアル規程は別に定める）
16. 前各号の他、これに準ずる従業員としてふさわしくない行為をしないこと

『服務及び業務規程については、一般的常識的なルールと会社独自の運用ルールを定めればいいと思います。また、平成28年1月から実施されたマイナンバー対応の服務規律やテレワーク対応規程についても今回の改訂３版で追加しております。第2

第4章　伝説「10人未満の会社を守るためのシンプル規則」

項のテレワークにおけるみなし労働時間制とは、事業場外で業務に従事し、かつ、使用者の具体的な指揮監督が及ばず、労働時間を算定することが困難な業務の時であります。従って電話、電子メールなどで確認できるときは、採用できません。会社が成長していくなかで、会社独自の運用ルールも変化していくものと思われます。例えば電話は呼び出し音３回以内に取るとか、契約をしていただいたお客様にはその日のうちにお礼状をかくとかいったような具体的な業務のルールを規程化していけば、新人教育に役立つと思います。服務関係の規定は会社の日常の風土とか社風をつくっていくベースになってくるところかと思います。』

（懲戒の種類、程度）
第11条　懲戒は、その情状により次の区分により行う。
 1．けん責　始末書をとり、将来を戒める。
 2．減　　給　１回の事案に対する額が平均賃金の１日分の半額、総額が１カ月の賃金総額の10分の１の範囲で行う。始末書をとりけん責に止めることもある。
 3．出勤停止　７日以内で出勤を停止し、その期間中の賃金は支払わない
 4．懲戒解雇　予告期間を設けることなく即時解雇する。この場合において所轄労働基準監督署長の認定を受けた場合は、予告手当（平均賃金の30日分）を支給しない。場合によっては、退職願の提出を勧告し諭旨退職とすることもある。

『懲戒については、けん責・減給・出勤停止・懲戒解雇の4種類です。従業員3～4人の会社なので、この4種類の懲戒規定があれば、いまのところ、対応は十分可能かと思います。このような懲戒処分の前に日常の労務管理としては、私の持論ですが、仕事の失敗等にたいする叱り方としては二種類あると思います。一つは自分の感情のままに従業員を責めてしまうことで、いわゆる怒りの感情だけの行動です。もう一つは仕事のどこが間違っていたのか、今後このようなことをさせないためにその仕事の内容について叱るというものです。同じ叱る行為ですが、効果は月とスッポンほど違いがあると思います。ですから社長さん、叱るときは、必ず仕事の内容を叱かってください。決して感情的に相手の人間性を否定した叱り方は慎みたいものです。このことが社長さんのパワハラ防止にもなってきます。そして労務管理上重要なことはけん責の処分をする時は必ず文書で始末書をとっておくことです。このことが、解雇などの時に労働者と揉めて裁判にでも発展するような時には非常に重要な意味を持ってきます。始末書は参考資料に添付してありますが、時間がなければ、メモ用紙にすぐに今後このようなことをしませんと、書かせてもいいと思います。このようなことが何回もあれば解雇等の争いでは、大変有利になってきますので、面倒ですがお勧めします。』

（懲　　　戒）
第12条　服務規律違反及び次の各号のいずれかに該当する場合は、その程度に応じて前条のいずれかの懲戒に処する。特に会社に損害を与えるような場合は原則として事前に弁

第4章 伝説「10人未満の会社を守るためのシンプル規則」

明の機会を与え懲戒解雇の処分をすることがある。
1. 無届欠勤7日以上に及んだ場合
2. 出勤常ならず改善の見込みのない場合
3. 会社の名誉、信用を損ねた場合
4. 故意又は過失により災害又は営業上の事故を発生させ、会社に損害を与えた場合
5. 個人番号（マイナンバー）を故意又は過失により外部に漏洩した場合
6. 懲戒処分を再三にわたって受け、なお改善の見込みがない場合
7. 服務規律・業務マニュアル規程又は業務上の指示命令に違反した場合
8. 重要な経歴を偽り採用された場合
9. 刑事事件で有罪の判決を受けた場合
10. 酒気帯び、飲酒等の道路交通法に違反する運転を行ったことが発覚した場合
11. 前各号の他、これに準ずる程度の不都合な行為を行った場合

『懲戒の内容については、代表的なケースを記載してあります。これも会社の発展と共に改定していかなければならないと思います。この懲戒の中の一番重い処分である懲戒解雇と第13条の解雇との相違は、懲戒解雇が従業員が重大な企業秩序違反をした時に、罰として労働契約を解消することであり、一方解雇は従業員の債務不履行を理由として、将来に向かって労働契約を解消することです。従って懲戒解雇は罰則としての色合いがつよく、刑事事件でいえば死刑ということになってくると思いま

す。ですから、社長さんこの処分は慎重に対処しなければならないところです。』

（解　　雇）
第13条　会社は、次の各号に掲げる場合に従業員を解雇することがある。試用期間の期間も含まれる。
 1．従業員が身体又は精神の障害により、業務に耐えられないと認められる場合
 2．従業員の就業状況又は職務能力が不良で、就業に適さないと認められる場合
 3．事業の縮小その他やむを得ない業務の都合による場合
 4．熟練者という条件で採用されたにも関わらず、期待された職務能力が無かった場合
 5．会社の従業員として適格性がないと認められる場合
 6．天災事変その他やむを得ない事由のため事業の継続ができなくなった場合
 7．前各号の他、やむを得ない事由がある場合

『解雇の規定についても、想定される代表的なケースを記載してあります。具体的に解雇事由等が、就業規則等に記載がないと、「労務災害」で裁判にいたったケースでは、解雇は無効と主張される可能性は十分想定されます。今後会社の発展と同時に、具体的事例も追加していく必要があると思います。解雇の裁判になった時の解雇事由の考え方としては、就業規則に規定されている解雇事由以外では解雇できないといった考え方と就業規則に規定されている解雇事由は例示的なもので、それに準ずるような事由があれば解雇できるといった考え方があります

第4章 伝説「10人未満の会社を守るためのシンプル規則」

が、現在日本の裁判所は就業規則に規定されている事由以外では解雇できないといった考え方が主流であるように思われます。ですから社長さん、くれぐれも感情的にお前解雇だとは、絶対に言わないでください。基本的に日本では解雇で争えばなかなか勝てないと思ってことにあたるべきだと思います。また、コロナ禍でやむなく事業の縮小のため解雇するケースが昨今多いですが、このようなケースではやむを得ないのかとも思います。100年に一度の東日本大震災や熊本地震のようなときは、本規則6項のようなケースにあたり労働基準法に定めがありますので、仮に就業規則に定めがなくても、解雇で問題になることは、あまりないと思います。』

（定年制度）
第14条　従業員の定年は満60歳とし、定年に達した日の翌日をもって自然退職とする。再雇用に関しては、本人が希望した時は定年に達した翌日から、満65歳になるまで解雇事由に該当しない者は1年又は6カ月ごとの更新により再雇用するものとする。再雇用の労働条件については個別に定めるものとする。満65歳以降も本人が希望するときは満70歳まで更新により継続雇用することがある。

　『定年に関しては2021年4月の改正により、現行法上の65歳までの雇用確保義務に加え、65歳から70歳までの就業機会を確保するため、以下のいずれかの措置を講ずる努力義務が新設されました（高年齢者雇用安定法10条の2第1項）。

　①　70歳までの定年引き上げ
　②　定年制の廃止

③ 70歳までの継続雇用制度（再雇用制度・勤務延長制度）の導入
④ 70歳まで継続的に業務委託契約を締結する制度の導入
⑤ 70歳まで継続的に以下の事業に従事できる制度の導入
 a．事業主が自ら実施する社会貢献事業
 b．事業主が委託、出資（資金提供）等する団体が行う社会貢献事業

※④と⑤を合わせて「創業支援等措置」といいます。

このような改正がされました。この本の伝説の就業規則では③の選択事例として条文化してあります。あくまでも定年は60歳、再雇用を希望する者は65歳までの再雇用で65歳からは70歳までの雇用は努力義務なので再雇用することがあるとしてあります。国家公務員はやがて65歳定年に移行していくので、民間も今後は定年65歳の会社も増加してくるのではないかと思います。』

（退　　　職）
第15条　従業員が次の各号のいずれかに該当するに至った場合は、その日を退職の日とし、従業員としての地位を失う。
 1．死亡した場合
 2．期間を定めて雇用した者の雇用期間が満了した場合又は定年に達した日の翌日（再雇用された者を除く）
 3．休職期間が満了したにも関わらず、復職できない場合
 4．行方不明となり30日を経過し、会社が所在を知らない場合
 5．本人の都合により退職をする時は、少なくても14日前

第4章 伝説「10人未満の会社を守るためのシンプル規則」

までに退職届を提出して、会社の承認があった場合又は退職届提出後14日を経過した場合

『退職についても代表的な記載事例となっています。なかでも行方不明と休職満了時に復帰できない時は、解雇ではなく退職の扱いで処理してあります。解雇の扱いに規定すると、のちほど不当解雇の問題に発展していく可能性があるからです。退職につきましては、従業員が労働契約を解消しようとする時には、会社に対する意思表示が必要になり、その従業員の退職の自由は絶対的な権利ですから、会社としてはそれを拒むことは原則できないことになります。また、コロナ禍の日本の社会は高齢化社会で人手不足ですから、やがて人を雇用したくても、若い人がいないので雇えないという時代になってきました。従って社長さんがどれだけ熱心に人材を育成しても、この退職の意思表示があれば、止められませんので、日頃から現在いる従業員を大切に育てていく考え方が中小零細企業では益々必要になってくると思います。それから労務管理では大切な視点として添付資料にあるように必ず退職申し出時には退職届をもらっておくことが重要です。あとで、あれは自己都合退職でなくて、解雇されたんだといわれた時にはこの退職届けが大変重要な意味をもってきますので、社長さんには面倒でも退職の際には必ず退職届を貰っておくことをお勧めします。』

(賃金締切日および支払日)
第16条　賃金は、当月1日から起算し、当月末日に締切って計算し翌月10日（支払日が休日の場合はその前日）に支払う。欠勤・遅刻・早退があるときは、その時間分の賃金を

控除して支給することがある。

　『賃金締め切りについては、末締め、翌月払いとしてありますが、定めはありませんので、20日締め25日払いなどというのもよくあるケースです。社会保険の管理などを検討すると、20日締め当月末日払いのような給与計算期間を多少とも長くするケースが給与計算時の間違いが少なく、管理しやすいのではないかと思います。』

（賃金の構成）
第17条　賃金の構成は、次のとおりとする。
　1．基本給（日給月給制又は時給制）
　2．家族手当
　3．皆勤手当
　4．通勤手当
　5．役職手当（役職手当は残業代として支給するものとする。ただし、時間外割増賃金が、役職手当の額を超えるときは、その差額は残業手当として支給する）
　6．住宅手当
　7．残業手当（労働基準法に基づき計算する）

　残業単価の計算は家族手当・通勤手当・役職手当（残業代を含むと規定したとき）・住宅手当をのぞいた賃金を1カ月の平均所定労働時間で割って計算するものとする。法定労働時間を超えたとき、労働基準法に定める割増賃金を計算するものとする。手当は支給条件が満たされなくなれば、その月から支給されなくなるものとする。

　『賃金の構成については、いわゆる世間で活用されている、代

第4章　伝説「10人未満の会社を守るためのシンプル規則」

表的な手当が記載してあります。サービス残業などが多く発生する可能性のある事業所では、この規定のように、役職手当は残業代として支給するといった記載のほうが、運用しやすいと思われます。ただし、役職手当より残業代の方が多くなるような場合はその差額はしっかり支払うようにしなければ未払い残業代の問題が生じますので、注意して下さい。残業が少ない会社であれば、役職手当（その職務に応じて支給する）といった記載になります。また、働き方改革の法改正で2021年4月から同一労働同一賃金の義務化がスタートしました。これは、パートさんなどの非正規従業員と正規従業員とが同じ仕事をしているならば、賃金などの処遇に差を設けてはならないという法律です。中小零細企業では、パートさんといっても人数が少ないのと、この人手不足を考えるならば、手当などの賃金については、私はあえて、パートさんだから支給しないとかしないで、同じ取扱いにしたほうがいいのではないかと思います。未払い残業と同じように、あとで、その手当を支払う支払わないで揉めることもないし、逆にパートさんに気持ちよく働いてもらえることになると思います。しかし、当然パートさんが数百人もいる会社であれば、支給しないことについては明確な基準は必要となり明確な基準がなければ、今回の法改正でパートさんにも手当を支給しなければならなくなってくると思われます。パートさんが200人もいるような会社ですと、手当の支給基準に合理的な理由がないと、200人に1万円の手当で200万円毎月かかってくることも予想されます。そして、序章でも記載しましたが、残業の上限時間規制で賃金が毎月ダウンするようなケースでは、いくらか調整手当などの手当の工夫も必要かもし

れません。』

(基本給の考え方)
第18条　基本給は日給月給又は時給制とする。基本給は、本人の能力、経験、技能および作業内容などを勘案して各人ごとに決定する。また、毎年会社の業績又は本人の業績により、毎年一定の期日に増減することがある。

　　『基本給については、毎年必ず上がるといった記載ではなく、会社の業績により増減があるといった内容にしてあります。上がると記載すればそれは、従業員と約束している訳ですから、上げなくてはなりません。基本給とか、前条の手当のような内容は労働基準法に定めがあるわけでもないので、基本的にはその定めは社長さんの考えでOKです。ただし、不利益変更の問題がありますので下げることはなかなか難しいと思います。』

(賞与の支払方針)
第19条　賞与は会社の業績により個人ごとの能力を鑑みて支払う。業績によっては支払わないこともあるものとする。ただし、支給日に在籍しない従業員には支給しないものとする。

　　『賞与につきましては、労働基準法に必ず支払わなければならない、と規定されているわけではないので、支払うか、支払わないかは社長さんの自由です。ただし就業規則のなかに1カ月分支払うと規定してしまうと、それは、必ず支払わなければならなくなります。したがって、この本では、業績によっては支払はないこともあると規定することが、リスク対策となります。

第4章　伝説「10人未満の会社を守るためのシンプル規則」

また、手当と同じように働き方改革により、パートさんなどに賞与を支給しない時は、明確な支給基準が必要となってきます。』

（退　職　金）
第20条　退職金については、会社が退職金制度を導入した時は支払うが、制度を導入していない間はないものする。

　『退職金につきましても、労働基準法に定めがある訳ではないので、支払うか支払わないかは社長さんの自由です。これも30年勤続で500万円支払うと規定すれば、お金がないから払えないといった言い逃れはできなくなりますので、慎重に検討する必要があると思います。退職金については基本的に二つの考え方があると思います。一つめは永年勤続に対する在職中の功労に報いるもの、もう一つは、在職中の賃金の後払いの一部として考え、退職後の生活の一助にしてほしいという考え方ではないかと思います。中小零細企業では、大企業のように退職一時金と年金といったような制度設計はできないケースが多いと思いますので、中小企業退職金共済制度等を活用して当社の退職金を支払うといった在職中の功労に報いるために支払うといった制度がベストではないかと思っています。しかし、この規定のように、決めていなければ必要ありませんのでご理解のほどお願いいたします。』

（損害賠償事由）
第21条　従業員が故意または過失により会社に損害をかけた場合は、損害の一部または全部を賠償させることがある。

ただし、これによって懲戒を免れるものではない。

　『損害賠償規定があるから、従業員が会社に損害を発生させたときに、必ず損害賠償を請求できるかといえば、疑問符が残る規定ではあります。しかし、規定がなければ、従業員に対しての意識をもたせることができなくなりますので、記載するほうがいいと思われます。』

（疑義および解決）
第22条　特別の事情のためにこの規程によりがたい場合及び適用上の疑義及び解決が必要な時は原則として社長がおこなう。

　『疑義・解決については原則として社長さんがおこなうとの定めです。いろいろなケースが発生した時は基本的には、その他諸法令ではなく、あくまでも社長が判断するという考えです。』

いかがでしたでしょうか？　社長さんが想像していた以上に意外とシンプルではなかったでしょうか。この本を読んでおられる、専門家の方もこんなシンプルな条文に、発想を変えればできるんだなと、思われたのではないかと思います。そうなんです。なんと22条でできないことはないのです。たった22条で、会社の就業規則なんてできるはずがないと思われる社長さんや、専門家の方も多いのではないかと思われます。私は、中小零細企業、従業員3～4人の会社であれば22条定めてあるだけでも、会社経営における、労務対策は7割は対応できてくるのではないかと思います。

第4章　伝説「10人未満の会社を守るためのシンプル規則」

　この就業規則のポイントについて、以下私なりの見解ですが、ご確認のほどお願いいたします。

　前節で各条文ごとに解説していますので、ダブっているケースもありますが、理解を深めていただきたいという意味であえてその中でも重要な10ポイントについて理解をお願いいたします。

　その①　本屋さんの書店で並んでいる多くの本は、この規則に定めのない事項は、その他法令に委任する内容になっていますが、伝説の就業規則は、解釈の疑義については、最終的には社長が判断すると定めてあります。

　この定めは、『労務災害』が発生して、訴訟になったときにその他法令に委任するとなっていれば、就業規則に定められていない事項は、日本の国内法に従うと宣言するようなものです。当然相手側の弁護士はこの条文を楯に主張してくることは、当然です。

　その②　この規則は機密文書として定めてありますので、勝手に持ち出したり、コピー等できないように定めてあります。このように定めておけば、会社の業務マニュアルのような規定を定めた時、会社の積み上げてきた、会社のノウハウの社外への情報漏れの防止になります。これは、従業員が退社した際の防止対策にもなってきます。

　また、今回の改訂3版ではテレワークについても規定していますが、基本的には事業場内で勤務する場合と同様に、労

働基準法、最低賃金などの労働基準関係法令が適用されますのでご確認のほどお願いいたします。

　その③　中小企業では、変形労働時間制を採用することが、残業対策としては、最大の労務管理対策となります。ともすれば、中小零細企業ではサービス残業が、当然のごとく行われているケースが予想されます。休日も大企業のように、年間125日前後付与できる、余裕のある人員ではないと思われます。1日8時間労働であれば、1年単位の変形労働時間制度を採用して年間休日最低105日以上、1日7時間30分労働であれば、年間休日87日以上で、従業員を働かせることが可能です。変形労働時間制を採用しなければ、1日8時間労働であれば土日完全週休2日制で、国民の祝祭日を含めて原則毎年120日前後最低でも必要となります。このように、会社の実態にあわせて変形労働時間制を採用することが零細企業の時間管理戦略の基本です。この規則には変形時間制度の採用について規定してありますのでご安心を。

　ただし、コロナ禍の求人難を考えると中小零細企業でも年間休日は最低でも105日以上は必要であると思います。

　その④　服務規律の規定につては、一般的な考えが記載されておりますが、社長さんの会社に、業務のマニュアルを明文化しておきたいというのであれば、ここには、御社の独自の業務マニュアルを定めることは、従業員の入社時の研修や、社員研修時に有効に活用できるので、運用の仕方によっては、

第4章　伝説「10人未満の会社を守るためのシンプル規則」

労務管理の活用以外に経営戦略のツールとしても、十分活用できるようになると思います。私も言葉でいうのは簡単ですが、中小零細企業で業務マニュアルを文書化できている会社はほとんどありません。ですから、私は、中小零細企業であるならば、何も大企業のように、立派なマニュアルを作成するといった発想ではなくて、普段会社でやっていることを、全部書き出してそのなかから、重要な仕事を規定すれば、それで私はOKであると思います。社長さんこれなら文書化できるのではないですか？　ちなみに私の事務所の業務マニュアルを参考資料（161頁）にのせておきましたので参考にしてください。

その⑤　従業員が働く上で、労働日数のほかに休暇はどうなっているか？　大変気になることです。社長さんの会社では有給休暇を与えていますか？　6ヵ月以上勤務し、8割以上出勤していれば、従業員から有給休暇の請求があれば与えなければならないという定めがあります。この本を手にとられた社長さんはほとんどが冗談じゃない、10日も休まれたら我々のような中小零細企業は仕事が回らないから、そんなに与えられないと思っておられると思います。それが困るからこの本を買ったという社長さんもおられると思います。私もその気持ちは十分理解できます。しかし、今の若い人たちは、労働基準法の自分たちの権利については、おそらく社長さんが思っている以上に詳しいと思います。さきほども、記載し

ましたが、法改正があり、2019年4月から会社が毎年5日与えなければならないので、隠しておこうと思っても無理です。また、今後は従業員の有給休暇の取得状況をしっかり把握しておく必要があります。有給休暇の管理台帳のサンプルは巻末資料に掲載してあります。どうしても、オープンにしたくないというのであれば、今回の伝説の就業規則の定め方がベストであると思います。本屋さんの本では、ほとんど何年勤務で何日といった数字で規定されております。数字は頭にダイレクトに入りますが、この本のような定め方はイメージが薄くなります。うちの有給休暇は法律通り付与されると考えている社長さんは、この規定をはっきり就業規則に数字で規定したほうが良いと思います。具体的な数字は111頁に掲載してあります。

　育児介護休暇については、育児介護休業法に定める規定に従うとしております。この分野については、会社の独自色は規定しづらく、本屋のどの本も同じような内容になっています。それもほとんどが、複雑な育児介護休業法を、解説しているにすぎないので、伝説の就業規則は、育児介護休業法にしたがうと、あえてシンプルにしてあります。この部分だけでも、詳細に規定すると40条前後の規定を作成する必要があります。中小零細企業では、実際社長さんが詳細を理解することは難しいと思います。

　また、休暇の中でも、休職の規定は非常に重要です。新し

第4章 伝説「10人未満の会社を守るためのシンプル規則」

く採用した従業員さんが、入社3カ月目で、病気で入院することになり、診断書に1年間の休業が必要であるといった診断書が提出されたら、社長さんはどうしますか？ 仕事ができないのだから残念だが退社してもらうしかないなと思われると思います。しかし、病気した従業員からみれば、自分の不注意で病気したのでもないのに関わらず、辞めてくれとは、この社長さんはなんと血も涙もない非情な社長だと、わめきたてるケースも出てくると思います。一度こじれると大変です。伝説の就業規則のような定め方をしておかなければ、解雇という取り扱いになり、この本で述べてきたように、解雇の具体的事由が定められていなければ、争いになれば負ける可能性が十分考えられます。3カ月しか勤務していないのに、復帰するまで社会保険料等を払い続けなければならず、中小零細企業にとっては大きな出費になることは必定です。本屋さんにある多くの本は休職期間が6カ月以上がほとんどです。この本を読まれている社長さんの会社で6カ月も休ませることができますか？ 中小零細企業では私は2カ月か3カ月が経営から考えると妥当な日数ではないかと考えます。なかには、わが社は社員が病気になっても絶対退社させず、いつまでも復帰を待つといった立派な経営者もおられますので、社長さんのあくまでも考え方によります。ところで、休暇は有給休暇と特別休暇を除いて原則無休と定めてありますので、どうしても与えなければならない時は、本人の申請に

よる有給扱いにする形式を採用されたほうが、有給休暇消化の促進になると思います。

　その⑥　解雇の規定については、伝説の規定例のような内容で、基本的な対応はできると思います。中小零細企業で特に予想されるケースとしては、勤務態度や仕事の能力不足による解雇のパターンではないかと思います。少人数でやっているため、きわめて家族的な雰囲気にならざるを得ないのではないかと思います。うちの顧問先で、社長のお母さんが、毎日従業員さんにお昼の食事を無償で提供している会社があります。まるで、従業員さんのお母さんのようです。このような感じの会社が多いのではないかと思います。逆にそれだからこそ、いざ会社を退職してもらうとなると、社長さんは家族と離れるような非常にさびしい思いをされることも多いのではないかと思います。いかがですか？　中小零細企業では、何十人もいるような会社より退職は大変気苦労されることかと思います。就業規則等に解雇事由が明示されていないと解雇が難しいといった法律上の問題もありますが、その前に人間として従業員を大切にする心がベースになってくるのではないかと思います。先の事例で紹介した、病気が長びこうと会社は君を待っているよと言われれば、この社長さんの為なら何でもやるといった気持も起きると思います。これが、3カ月で復帰できなければ退職ですよといわれるのでは、どちらがいいのかわかりませんが、やはり、社長さんの従業

第4章 伝説「10人未満の会社を守るためのシンプル規則」

員を大切にする心があるならば、私は逆にどちらの時でも退社のトラブルは発生しないのではないかと思います。

　その⑦　懲戒規定については、ほとんどの就業規則に定められております。その内容もどこの会社も同じような内容が多いようです。国に罰則があるように、会社にもルール違反に対しての罰則は必要であると思います。一番の重罪が死刑であるように、会社の場合は懲戒解雇です。懲戒も解雇となると、解雇の条件が明示されているかとか、色々な条件が必要になります。とくに懲戒規定の中の出勤停止は非常に効果的な制度かと思います。どうしても、業務命令に違反する社員であれば、1週間の出勤停止は本人に十分考える機会を与えますし、賃金の支払いの義務もないので、やむを得ずの時はこの出勤停止を有効に活用したらいいと思います。従業員から辞めますと希望してくることも十分予想されます。これは自己都合退職ということになり、解雇にはなりません。特に私はこの懲戒制度の活用は相手の心理をよく考えたうえで、対処する必要があると思います。社長さんいかがですか？　くれぐれもカッとなっておまえはクビだと言ったら今の日本の社会では、裁判になればほとんど負けることになりますので、忍耐強く懲戒規定にもとづいて対処することをお勧めします。

　その⑧　給与の規定については、大半の就業規則では、別規定になっているケースがほとんどです。しかし、残業代の

計算では、家族手当や通勤手当を除いて計算してもいいように認められているので、営業手当など固定残業代として支給するのかなどを、定めておけば、残業代の単価は家族手当・通勤手当・営業手当・住宅手当の額を除いた計算式で計算できますので、残業代未払いに対して十分効果はあるのではないかと思います。また、昇給と賞与については、会社の経営状態で判断できるような定めをしておくことがベストかと思います。社長さん、給与に関しては昇給とか、賞与はできるだけ従業員に喜んでもらうため支給するとか、かなえてあげたい気持ちは分かりますが、規定にしてしまえば、従業員との約束事になるので、売上不振で大変な時でも昇給や賞与は支払わなければならなくなります。逆に規定しておいて支払わないのであれば、従業員のモチベーションダウンになってくると思います。賞与などについては支払うかどうかわからないと規定しておいて、支払うほうが逆にその効果と従業員の喜びは大変大きいものになると思います。給与というお金にまつわることは、社長さんの見栄にこだわらずに、できないことは最初から規定にしておかれたほうがいいと思います。

　その⑨　定年については、社長さん、どのようにお考えでしょうか？　うちみたいな中小零細企業では定年まで働いてくれるかどうかわからないし、うちの従業員は若いしそこまで考えていないというのが、本音かと思います。

第4章 伝説「10人未満の会社を守るためのシンプル規則」

　平成9年に、定年は60歳以上と高年齢者雇用安定法で改正されたように、平成16年に高年齢者雇用安定法は定年の引上げや継続雇用制度の導入、定年制の廃止などによる65歳までの雇用機会の確保が義務付けられました。また平成24年の改正で労使協定による選別が原則として廃止されることとなりました。わかりやすくいえば、平成25年以降は従業員が65歳まで勤務を希望すれば、原則として雇用しなければならない時代になりました。そして令和3年4月には、71頁～に記載したように65歳から70歳までの就業確保措置が努力義務化されました。従って、法律の改正により、65歳から70歳までの再雇用の努力義務が課せられました。

　この本では、中小零細企業でもありますので、定年はあくまでも60歳。本人が再雇用を希望すれば、会社と勤務条件を見直し65歳まで再雇用し、希望すればさらに65歳から70歳までの再雇用することがある、といった内容にしてあります。対象者がいないから定めなくていいというのではなく、規定をしっかり定めておくことは、従業員も安心して勤務できますし、ハローワークを通して求人する時など、御社の定年制度はどのようになっていますか？　といったことについて求人票に記載しなければなりません。定めていなければ、ハローワークで求人票を取り扱ってくれないようなこともあると聞いています。

　また、ハローワークで仕事を探している方も定年もしっか

り規定されていないような会社は、応募してこないと思います。将来事業が拡大して、できるだけ良い人材を希望されるのであれば、定年の定めは、しっかり定めておくべきであると思います。

　ところで、社長さんはいつまで仕事をされますか？　私は、75歳まで、できれば生涯現役で頑張りたいと思っています。私は世の中の職業の中で、中小零細企業の経営者ほど面白い仕事はないのではないかと思っております。私も22年間のサラリーマン生活がありましたから、よくわかっているほうだと思います。確かにサラリーマンは年金や労災保険等、経営者より恵まれていますが、基本的に定年で退職しなければなりません。確かに65歳前後になれば、若い人からみれば体力・気力で負けるかもしれませんが、人間の完成力という面でみれば、65歳・70歳という年齢は、最高に能力を発揮してくる年代ではないかと思っています。65歳定年というのは、勝手に人間が作った制度です。自然界をみれば、どんな動物も定年で隠居などという動物はみたことがありません。

　従って、自営業という職業は、自然の理にかなった職業であると思います。私のお客様でも、70歳になられても多くの経営者の方はハツラツと若々しい社長さんが多いのには、感動を禁じ得ません。ですから私は、息子さんなどに社長業を継がせるのは、いいことであると思いますが、役員として生涯現役といったことは、さらにいいことではないかと思いま

第4章　伝説「10人未満の会社を守るためのシンプル規則」

す。これが一番の健康法ではないでしょうか。

　その⑩　退職金につきましては、バブル時代に金融機関から勧められて退職金制度を多くの企業が導入しましたが、バブルの崩壊や、リーマンショック以来、低金利時代の運用難でその退職金の支払いに多くの企業が苦戦しています。従業員と約束している以上、30年勤続で1,000万円と規定されておれば支払わなければなりません。払えないということで裁判になっても、裁判結果はまちがいなく1,000万円は支払わなければなりません。ですから、中小企業退職金共済制度を導入するのであれば、規定の中に、比較的活用事例の多い共済制度により支給すると定めておけば足りるわけです。中には、退職金制度はないと明確に定めている会社もあります。社長さんいかがですか。私の個人的意見では、離婚時に慰謝料をいくらか支払うように、少額でもいいから退職金をわたせるようにしたほうがいいと思います。のちのち、あの会社は長く務めたのに退職金もない会社だとか、あの社長はドケチだとか言われないためにも、いくらか支給することが従業員と別れる手切れ金だと思えばわかりやすいのではないでしょうか？

2 伝説の就業規則は必要サイテイゲンなのだ

　前節で伝説の就業規則と基本的な作成の考え方のポイントを10項目みてきました。いかがでしょうか？

　意外とシンプルなので驚かれている社長さんも多いのではないかと思います。色々な考え方があり、専門家の中には、これでは不十分であるとご指摘があるのも、もっともであると思います。しかし、この本の読者は従業員１人から９人くらいの中小零細企業の社長さんを対象にしておりますので、私はこれで最低限の労務問題には対応できる内容になっていると自信を持っております。私の多くの友人の弁護士の方や同業者、又は実際にこの内容の就業規則を提案させていただいた社長様から、大変わかりやすく時間もかからないので、我々のような中小零細企業にはぴったりの就業規則であるとご好評をいただいております。

　ですから社長さん、伝説の就業規則は基本的には労働基準法でいえば絶対的記載事項が掲載されており、その他は予想される重要な『労務災害』に対応するため、必要な規定を掲載してあります。

　私は、10人未満だから法律で作成の義務はない就業規則を作成しないで事業をしているよりは、この本の提案のような、伝説の就業規則を作成しておくことが、今後予想される様々な『労務災害』に対応するベースになってくるのではないか

第4章　伝説「10人未満の会社を守るためのシンプル規則」

と思います。ましてや、働き方改革が施行される時代になった以上、10人未満でも就業規則を作成し運用しなければ、時代の流れに対応できなくなってきたと思います。しかし、基本的に従業員と素晴らしい人間関係があり、トラブルは絶対に起きないと自信のある社長さんは、今回提案の就業規則は必要ないと思います。いかがですか？　社長さんの会社は必要ある？　必要ない？　必要ないと思われた社長さんはご多忙の中でもあると思いますので、以後の部分を読まれずに、社長さんの本業に関連する本をお読みになられたほうがいいと思います。それほど、中小零細企業の社長さんはご多忙だと予想します。現に私も、年中無休のような感じで仕事をしています。しかしながら、サラリーマン時代と比較しても、ストレスがない、疲れないといった点では逆にやりがいがあります。

　サラリーマンは上から下からの間で、否がおうでも、上手にストレスと付き合わなければ、うつ病になってしまう可能性が十分にある仕事です。われわれ自営業はすべて、完全歩合給の自己責任の世界であり、自分の心にブレがないので、ストレスが意外とたまりにくい仕事ではないかと思います。

3 あっと驚く 伝説の就業規則は1時間でできるのだ

　社長さん、伝説の就業規則を自社に活用したいのだけれど、どれほど時間がかかるのかね、と言った質問があると思います。正直従業員20人前後の会社で就業規則の作成の依頼があれば、私の場合は3カ月から6カ月を目処に作成していきます。それなりの報酬も請求させていただいています。その他の同業者の方も同じくらいの時間をかけているのではないかと思います。

　この本をお読みの零細企業の社長さんの会社であれば、参考資料で掲載されている伝説の就業規則をコピーかワードに文書化して、空白のところを社長さんが決めて記載して従業員に閲覧できる状態にしておかれればそれでもOKです。極端なことをいえば、会社のボードにこの規則を貼り付けておいても結構です。

　ですから、この本をお読みの社長さんであれば、1時間で御社の就業規則作成は可能であると思います。いかがですか？　社長さん、これだったら、明日からもう

就業規則が
1時間で
サッと
作れるのか

第4章　伝説「10人未満の会社を守るためのシンプル規則」

御社の就業規則は運用できます。就業規則はいつでも変更できますから、変更があればその都度改正していけばいいわけです。ただし、従業員の不利益になるような変更には規制がありますので、注意して下さい（労働契約法9条・10条）。

改正のたびに、御社独自の就業規則になってくると思います。最初は物真似いわゆる、伝説の就業規則をそっくりそのまま、ご活用いただいてもいいと思います。いかがですか？この本の代金で、就業規則が作成できます。

こんなことを記載すると、同業者の方からお叱りをうけるのではないかと思います。しかしながら、これはあくまでも、勉強でも小学校・中学校・高校・大学とあるように、小学校1・2年生の段階です。3・4年生以降は家庭教師が必要なように、スタート以降は専門家にご相談されて、変更していくことも必要であると思っています。

従業員が閲覧できる状態にする、文書の書式などは自由ですからどんな紙を使うのとか、どのようなファイルを使うのかは全く自由ですので、社長さんの考えで作成していただいていいのではないかと思っています。

うちの事務所は社労士事務所ということもありますので、革張りのファイルに、高級用紙にパソコンで印刷し、事務所に閲覧できる状態にしてあります。

また、ITの進んだ会社であれば、従業員がいつでもパソコンで閲覧できる状態にしておいても OK です。ただ私は、こ

れはあまりお勧めしません、あくまでも就業規則は会社の機密文書として規定しておりますので、社外に情報が漏えいする可能性が十分あるので、これはあまりお勧めしません。

　いかがですか？　1時間で就業規則を作成することは、これまで読んでいただいた社長さんならこれでご理解いただけたと思います。是非お願いしたいのは、来月から作成するというのではなく、今すぐにでも作成していただきたいということです。誰でも本を読んで1日もたてばそのほとんどの内容を忘れているようです。ですから、しばらく時間をおけば作成しなくなるか、そのうちということで、どんどん時間が経ってしまうものです。『労務災害』はいつも予期せぬ時に突然起こってくることが多いものです。また、『労務災害』を事前に予防するということでも、社長さん、明日にでも従業員に周知できるようにしておくべきだと思います。

　次に社長さん、何故伝説の就業規則と名前がついているのかと今まで思われてきたかと思います。それは、御社においておそらく最初の就業規則の作成になるのではないかと予想したので、社長さんにとっても従業員さんにとっても愛着がもてて、比較的無味乾燥な就業規則をネーミングすることによって興味と関心をもっていただきたいとの思いで、私が、おそらく業界で初めてかと思いますが、就業規則に名前をつけてみました。もちろん社長さん、従業員就業規則でいいということであれば、それでもいいと思います。伝説の就業規

則、名前だけでもワクワク感があり、私は、素晴らしいネーミングだと思っています。

> **10分ノート**
>
> 　就業規則は、労働基準法で定められている必要最低限が記載されておれば、それだけでも特に問題はありません。また、書式とかは自由であり、御社の会社に合わせて、です・ます調、で・ある調など自由です。
>
> 　また、閲覧方法も紙、パソコンからなど、御社の会社に合わせてできます。また、本書の伝説の就業規則を活用すれば、1時間で作成可能であり、明日からでもスタート可能となります。

第5章

社員・従業員への
周知テッテイと日常のカツヨウ

1　2～3人であれば、閲覧できる状態であればOK

　社長さん、就業規則の作成の段階までは進むことができました。これから先は、その一番重要な日常の活用について考えてみたいと思います。ところで嘘のようなお話ですけれども、たまに新しく顧問先になった社長さんに就業規則を拝見させて下さいというと、なんと金庫の中からおもむろに取り出してくる社長さんがたまにまだいらっしゃいます。何故金庫の中に保管しておかれるのですかと質問すると、有給休暇を知られたくないとか、労働基準監督署の調査が入った時に必要だからとの回答です。私も心情的には理解できますが、社長さん、考えてもみてください。今の時代、インターネットにアクセスすれば、誰でも自分の有給休暇が何日あるかな

ど、すぐに分かります。ですから、有給休暇のことは、うちの会社の従業員は知らないと思っているのは社長さんだけです。従業員さんは、みなさんご自分の権利については理解していると思って間違いないと思います。ですから社長さん、就業規則は堂々と、隠し立てしないで、従業員さんがいつでも閲覧できるところに置くか、パソコンで閲覧できる状態にすることが良いと考えます。またそれでなければ法律違反であり規則としての効果はありません。

2 働き方改革により益々必要とされる社長さんの労働基準法の理解（残業規制・有給休暇・同一労働同一賃金への対応について）

　私の持論ですが、これから会社を創業し、人を雇うのであれば、最低限の労働基準法を理解勉強して、3級程度の簿記は理解しておく必要があると思います。よく人・物・金と言われるように、労働基準法と簿記を理解することは、人・物・金の人と金の部分のベースになると思います。

　この本では日常の活用のベースとしての社長さんに知っておいてもらいたい最低限の労働に関する法律を抜粋してみましたので、以下代表的な条文を一度読んでみて下さい。

労働基準法

（労働条件の決定）

第二条　労働条件は、労働者と使用者が、対等の立場において決定すべきものである。

> 『社長さん、契約というものは民法でいうところの契約自由の原則で、お互いが合意すれば契約は基本的に成立することになります。書面の明示が必要なのは、民法の特別法である労働基準法第15条で労働条件の明示の定めがあるからです。』

2　労働者及び使用者は、労働協約、就業規則及び労働契約を遵守し、誠実に各々その義務を履行しなければならない。

> 『ここに各々誠実に順守する義務を定めております。従って、契約内容の仕事ができなければ、債務不履行で契約解除、いわゆる解雇もできるということです。』

（男女同一賃金の原則）

第四条　使用者は、労働者が女性であることを理由として、賃金について、男性と差別的取扱いをしてはならない。

> 『社長さん、入社時に女性だからこの人は15万円とか決めるのではなく、この仕事をしてもらうから15万円でどうですか？といった、説明がリスク対策になると思います。』

（この法律違反の契約）

第十三条　この法律で定める基準に達しない労働条件を定め

第5章　社員・従業員への周知テッテイと日常のカツヨウ

る労働契約は、その部分については無効とする。この場合において、無効となった部分は、この法律で定める基準による。

　『社長さん、県ごとに定められた最低賃金制度があるので、例えば石川県の令和3年度は時給861円と定めてありますので、この人は時給600円でいいと言っているから600円で契約してもいいかといえば、ノーです。600円で雇用すれば最低賃金法違反で処罰されてしまいます。ですから、合意があったとしても、労働基準法や最低賃金法等でさだめる内容を下まわる契約をしてもダメであり、その部分は法律で定める内容になってしまうということです。ですから、人を雇用する社長さんは、最低限労働基準法を勉強しておかないと、逆に会社経営で損をしてしまうと思います』

（契約期間等）

第十四条　労働契約は、期間の定めのないものを除き、一定の事業の完了に必要な期間を定めるもののほかは、三年（次の各号のいずれかに該当する労働契約にあっては、五年）を超える期間について締結してはならない。

　『社長さん、従業員を採用するときに悩むのが、雇用期間をどうするかです。いわゆる正社員と世間でいうのは、雇用期間に定めがなく基本的に定年まで雇いますといった場合です。契約社員とかパートとかいったケースは6カ月間とか1年間の契約

で、更新するかどうかはその時点の会社の状況で決めます、といった二つのパターンに分かれると思います。伝説の就業規則で試用期間と定めてあるのは、契約したときに3カ月間様子を見て、当社に相応しくないと判断したときは、辞めてもらいますよということを定めている訳です。』

(労働条件の明示)
第十五条　使用者は、労働契約の締結に際し、労働者に対して、賃金、労働時間その他の労働条件を明示しなければならない。

　『第2条の箇所でも説明しましたが、このように、労働条件の明示が義務づけられている訳です。ですから社長さん、採用時には逆に面倒がらずに契約書を作成して、後々のトラブル防止の視点に立って契約書を作成されることをお勧めします。巻末に資料として契約書のサンプルをつけてありますので、ご参考にして下さい。』

(解雇制限)
第十九条　使用者は、労働者が業務上負傷し、又は疾病にかかり療養のために休業する期間及びその後の三十日間並びに産前産後の女性が第六十五条の規定によって休業する期間及びその後三十日間は、解雇してはならない。ただし、使用者が、第八十一条の規定によって打切補償を支払う場

合又は天災事変その他やむを得ない事由のために事業の継続が不可能となった場合においては、この限りでない。

　『社長さん、意外と知らないと思いますが、産前産後の期間中しばらく働けないから、あなたに辞めてもらいますというようなことは、できないということです。以前うちの顧問先でも産休で休んだ女子社員に退社してくれないかと、言って退社させている会社がありましたが、もし、合意しなくて、労働基準法違反じゃないですかといわれたら、退社させることはできなかったと思います。社長さんの気持は理解できますが、このような法律があることをご理解ください。社長さん、この条文の後段の部分が東日本大震災や熊本地震のようなケースがこれに該当します。この条文があるので、仮に就業規則に記載がたまたまされていなくても、不当解雇というような『労務災害』は、発生しないと思います。』

（解雇の予告）
第二十条　使用者は、労働者を解雇しようとする場合においては、少なくとも三十日前にその予告をしなければならない。三十日前に予告をしない使用者は、三十日分以上の平均賃金を支払わなければならない。

第二十一条　［解雇予告の除外］前条の規定は、左の各号の一に該当する労働者については適用しない。

一　日々雇い入れられる者
二　二箇月以内の期間を定めて使用される者
三　季節的業務に四箇月以内の期間を定めて使用される者
四　試の試用期間中の者

　　『社長さん、やむなく解雇する時には、1カ月前に本人に通知しておくか、しない時は1カ月分の手当てを支払えということです。これは、従業員からみれば、当然の話だと思います。突然明日からくるなと言われれば生活に困ってしまいます。ですから、解雇する従業員が特に会社に害がない人であれば、1カ月前に予告して辞めてもらったほうがいいと思います。この期間中本人が働かなければ、賃金については支払いの必要はありません。巻末に解雇予告通知書のサンプルをつけてありますので参考にして下さい。また試用期間中でも14日を過ぎると解雇予告が必要になります。』

(退職時等の証明)
第二十二条　労働者が、退職の場合において、使用期間、業務の種類、その事業における地位、賃金又は退職の事由（退職の事由が解雇の場合にあっては、その理由を含む。）について証明書を請求した場合においては、使用者は、遅滞なくこれを交付しなければならない。

　　『退職する人から退職証明書を請求されたら、証明書を作成する必要があります。解雇の時などは、解雇理由によっては、裁

判にまで発生する可能性もあるので、慎重な判断が必要かと思います。』

(金品の返還)

第二十三条　使用者は、労働者の死亡又は退職の場合において、権利者の請求があった場合においては、七日以内に賃金を支払い、積立金、保証金、貯蓄金その他名称の如何を問わず、労働者の権利に属する金品を返還しなければならない。

　『退職される方から、仮に10日で退社して、給料を7日以内に支払ってほしいと言われれば、給与支払日が末日であったとしても17日までに支払う必要が出てきます。あまりこのようなケースはありませんが、たまにありますので記憶しておいてください。』

(休 業 手 当)

第二十六条　使用者の責めに帰すべき事由による休業の場合においては、使用者は、休業期間中当該労働者に、その平均賃金の百分の六十以上の手当てを支払わなければならない。

　『昨今のコロナ禍で雇用調整助成金の報道が盛んにされておりますが、労働基準法のこの規定から会社の都合により従業員を休業させる時は会社は休業補償として平均賃金の6割以上を支

給しなければならないことになっています。1日の給料の平均賃金が1万円の方であれば会社都合で休業させるとその日の賃金として6千円以上補償しなければならないのです。この時、国に申請すれば（条件をみたしていれば）助成金として、その休業手当の一部を助成するという制度がいわゆる雇用調整助成金という制度であります。この制度の基本はこの条文があるからです。』

（出来高払制の保障給）
第二十七条　出来高払制その他の請負制で使用する労働者については、使用者は、労働時間に応じ一定額の賃金の保障をしなければならない。

　『社長さんこれもよくあるケースですが、うちは営業会社なので、フルコミッションでやっているので実績がなければ給料はなしといった会社がたまにあります。しかし、法律は、労働者として時間を拘束して働かせる時は、時間当たりの最低賃金を営業成績がゼロでも支払う必要があるということです。かりにＡという営業マンに午前9時から5時までお昼1時間の休憩で働かせた時は、7時間労働になりますので、石川県でいえば、令和3年10月7日時点の時給の最低賃金861円で7時間で6,027円以上の賃金の支払いが必要になります。営業実績で2,000円の仕事内容でも差額4,027円は支払う必要があります。』

第5章　社員・従業員への周知テッテイと日常のカツヨウ

（労働時間）

第三十二条　使用者は、労働者に、休憩時間を除き一週間について四十時間を超えて、労働させてはならない。

2　使用者は、一週間の各日については、労働者に、休憩時間を除き一日について八時間を超えて、労働させてはならない。

　　『社長さん、労働基準法は1日8時間を超えて労働させてはならない、と定めています。逆にいうと8時間までならOKという訳です。よく8時間労働とお聞きするかと思いますが、このことを言っているわけです。逆に8時間を超えて働かさせる時は第36条（時間外労使協定）の定めに従って対応することになります。ただし、一週40時間は10人未満の商業などの特例事業については44時間という猶予措置が採られています。』

（休　　憩）

第三十四条　使用者は、労働時間が六時間を超える場合においては少なくとも四十五分、八時間を超える場合においては少なくとも一時間の休憩時間を労働時間の途中に与えなければならない。

　　『社長さん、この条文をよく見ていただければおわかりかと思いますが、6時間であれば休憩時間なしでもOKです。また1日8時間労働であれば、お昼1時間休憩時間与えなくても、45分でもOKです。また、たまにあるケースですが、時給の方に

休憩時間も含んで時給を支払っている会社がありますが、労働時間は休憩時間を除いて計算しますのでご理解のほどお願い申し上げます。』

(休　　　日)
第三十五条　使用者は、労働者に対して、毎週少なくとも一回の休日を与えなければならない。

　『労働基準法では毎週1回の休日と定めています。従って、土曜の休日とかの部分は会社の任意の休日になります。ちなみにこの毎週1回の休日を法定休日とよんでいます。』

(時間外及び休日の労働)
第三十六条　使用者は、当該事業場に、労働者の過半数で組織する労働組合がある場合においてはその労働組合、労働者の過半数で組織する労働組合がない場合においては労働者の過半数を代表する者との書面による協定をし、厚生労働省令で定めるところによりこれを行政官庁に届け出た場合においては、第三十二条から第三十二条の五まで若しくは第四十条の労働時間又は前条の休日に関する規定にかかわらず、その協定で定めるところによって労働時間を延長し、又は休日に労働させることができる。

　『社長さん、第32条の規定で、8時間を超えて労働させられないと定めがありますが、これを超えて労働させる時の例外規定

第5章　社員・従業員への周知テッテイと日常のカツヨウ

がこの条文です。俗にいわれる36協定です。時間外に労働させる時は、会社の規模に関係なく、労働者代表との労使協定に基づいて、8時間を超えて労働させることができるというものです。しかもこの時間外労働に関する労使協定は、なんと毎年労働基準監督署に届け出なければなりません。これを届け出ず、時間外労働をさせれば、労働基準法違反になってしまいます。6カ月以下の懲役又は30万円以下の罰金に処せられることもあります。いかがですか。これは労働者が1人でもおり、8時間を超えて労働させる時は必ず届け出が必要になってくるということです。また、ここの条文は今回の働き方改革の、一番メインの労働基準法の70年ぶりの改正に直接かかわってくる箇所であります。序章で労働時間の上限規制の改正内容を掲載しましたが、中小企業は2020年4月から施行されました。法律の定めにより時間外労使協定で1日8時間1週40時間を超える残業があるため時間外労使協定を従業員と締結して、さらに、その月の残業が45時間・年間で360時間（1年単位の変形の時は月42時間・年間320時間）の上限時間を超えるときは、特別条項をさらに締結しておれば、これまではある意味何時間でも残業をさせることができました。しかし、2020年4月からは、月100時間未満（休日労働を含む）複数月平均80時間以内（休日労働を含む）、年間720時間以内（休日労働を含まない）と明確に法律に条文化されました。また原則である45時間を超えることができるのは年間6カ月までです。それ以上残業をさせることはできなく

なってきました。この上限の内容を休日労働を含む含まないまで考えると本当に複雑なので、中小零細企業の社長さんでは十分理解管理できないと私は思います。

従って私は難しく考えないで中小零細企業では時間外労使協定の時間内である、月45時間以内（1年単位の変形のときは42時間）の残業時間にするため毎日2時間前後を会社の絶対的な上限にして残業管理をしていけば、私は中小零細企業でもこの複雑な上限規制に悩まなくても対応できるのではないかと思います。

また、どうしても残業が多い会社で月45時間・年間360時間を超えるような業務が予定されて、特別条項が必要な会社のケースでは、仮のケースとしてですが月80時間を上限に年6回まで、そしてそれ以外の月は40時間以内に残業時間を厳守するということで年間上限規制720時間はなんとか達成できることになります。

従って、これまでのように中小零細企業だからと言って残業の時間管理などをしっかりしていないと労働基準法違反で、最悪逮捕ということも今後は起きてきますので、簡単な分かりやすい残業の時間管理で基本的には無理な残業はさせないことが重要なポイントではないかと思います。

ちなみに時間外労使協定などの記入見本を巻末資料に掲載しております。

2019年度から新様式に移行しましたので、新様式について厚

第5章　社員・従業員への周知テッテイと日常のカツヨウ

生労働省HPの資料を掲載しましたので、ご参考にしてください。但し中小企業については2020年から新様式の対応となっています。１年単位の変形労働時間に関する協定届は変更ありません。』

（休日及び深夜の割増賃金）

第三十七条　使用者が、第三十三条又は前条第一項の規定により労働時間を延長し、又は休日に労働させた場合においては、その時間又はその日の労働については、通常の労働時間又は労働日の賃金の計算額の二割五分以上五割以下の範囲内でそれぞれ政令で定める率以上の率で計算した割増賃金を支払わなければならない。ただし、１箇月について六十時間を超えた場合においては、その超えた時間の労働については、通常の労働時間の賃金の計算額の五割以上の率で計算した割増賃金を支払わなければならない。

　『社長さん、休日や深夜午後10時から午前５時までに労働させると、また割増賃金の対象になります。仮にその日の残業が８時間をこえて午後10時をすぎた時は２割５分の深夜分をオンした５割増しの時給単価の残業代を支給しないといけなくなります。この辺を安易に処理していると、退社して数カ月後に未払い残業代を請求してくることは十分予想されますので、給与計算はしっかり法律に基づき計算しておくべきだと思います。基本的に残業代は２割５分増し以上の賃金を支払うわけですか

ら、残業をさせる時は勝手にさせないで、社長の指示がなければできないような、許可制のもとでされることをお勧めします。但し、1カ月60時間を超えた時の、割増率5割以上は中小企業では2023年4月からになります。』

(年次有給休暇)
第三十九条　使用者は、その雇入れの日から起算して六箇月間継続勤務し全労働日の八割以上出勤した労働者に対して、継続し、又は分割した十労働日の有給休暇を与えなければならない。

　『年次有給休暇については、中小零細企業の社長さんには大変頭の痛い話であると思います。何故なら、ただでさえ人がいない会社で有給休暇を取られ、しかも給料も支払わなければならないというのは、おそらく創業したばかりの社長さんには大変辛いものがあると思います。雇った日から6カ月間で8割以上出勤していれば10日間で、雇った月から6カ月目がその人の基準日となります（勤務年数に応じて6年6カ月以上の時は20日間）。有給休暇というのは、厳しいものがあると思います。しかし、社長さん大変なのはわかりますが、今時の若い人はみんなインターネットでご自分の有給休暇のことくらい知っています。隠しても仕方ないと思います。ただし請求主義なので請求がなければ与えなくても特に問題はありません。しかし先程も解説しましたが、法改正があり、現在は事業主の従業員へ時季

第5章 社員・従業員への周知テッテイと日常のカツヨウ

を指定して毎年5日は有給休暇を取らせることが義務化になりましたので、一日も与えなくてもいいということにはなってきません。よく検討してみてください。ここで2019年4月からの、法改正の有給休暇について、再度確認しておきたいと思います。年10日以上の有給休暇が付与される従業員が対象になりますので、正社員であれば下記の表の日数になります。

継続勤務年数	6ヵ月	1年6ヵ月	2年6ヵ月	3年6ヵ月	4年6ヵ月	5年6ヵ月	6年6ヵ月以上
付与日数	10日	11日	12日	14日	16日	18日	20日

正社員より週の勤務日数がすくない週30時間勤務未満のパートさんなどは比例付与で下記の日数になります。従って週4日のかたは入社して3年半が経過しないと会社からの付与義務の対象者にはなってきません。

週所定労働日数	1年間の所定労働日数	勤続年数に応ずる休暇日数						
		6ヵ月	1年6ヵ月	2年6ヵ月	3年6ヵ月	4年6ヵ月	5年6ヵ月	6年6ヵ月以上
4日	169〜216日	7	8	9	10	12	13	15
3日	121〜168日	5	6	6	8	9	10	11
2日	73〜120日	3	4	4	5	6	6	7
1日	48〜 72日	1	2	2	2	3		

また、具体的な管理方法は次の三つのパターンになると思われます。

　その1　有給は従来からの本人の申出によりあたえ、最終的

　　　　　に5日未満の見込みとなる従業員には、会社が話し
　　　　　合いのうえ指定して与える
　　その2　労使協定により予め、有給休暇の取得日を定めて与
　　　　　える。その与え方は全社一斉か部門ごとか個人ごと
　　　　　に決めて付与する。零細企業であれば一斉に休まれ
　　　　　ると会社が回らなくなるので個人ごとに指定してあ
　　　　　たえる方法がベストかと思います。
　　その3　その1とその2のミックスで5日間のうち2日従業
　　　　　員の申出、あと3日は計画年休でするなどです。
いかがですか。また、年末年始・ゴールデンウイーク・お盆休
みなど大型連休にプラス1・2日有給で対応するだけでも年間
5日はクリアーできます。また毎月1日リフレッシュ年次有給
休暇日・誕生日年次有給休暇・結婚記念日年次有給休暇などを
もうけるなどで従業員さんが、働きやすい職場つくりに直結し
てきますので、あなたの会社にあった有給休暇促進の工夫が必
要だと思います。また、有給休暇取得の基準日は、20人いれば
20通りの基準日となり、管理が面倒ですが、毎年4月1日を統
一基準日とするとか、入社月の毎月1日を基準日とかすれば人
数が多くても12パターンの基準日で対応できますが、10人未満
の零細企業であれば基本の考え方である入社後6カ月目を基準
日として管理すればいいのではないかと思います。
有給休暇の計画年休の労使協定や有給休暇の管理台帳のひな形
を巻末資料に掲載しましたのでご参考にしてください。』

第5章　社員・従業員への周知テッテイと日常のカツヨウ

（最低年齢）

第五十六条　使用者は、児童が満十五歳に達した日以後の最初の三月三十一日が終了するまで、これを使用してはならない。

> 『雇用の最低年齢については満15歳まで、いわゆる中学生までは、雇用できないということです。』

（深夜業）

第六十一条　使用者は、満十八才に満たない者を午後十時から午前五時までの間において使用してはならない。ただし、交替制によって使用する満十六才以上の男性については、この限りではない。

> 『深夜業の規制です。18歳未満は原則午後10時から午前5時までは労働禁止です。』

（産前産後）

第六十五条　使用者は、六週間（多胎妊娠の場合にあっては、十四週間）以内に出産する予定の女性が休業を請求した場合においては、その者を就業させてはならない。

> 『産前産後の方から請求があれば労働させることはできなくなります、また産後の8週間は請求がなくても就業させることはできません。ただし、産後6週間を経過し、医師が支障がないと認めた業務に就かせることはできます。』

(育児時間)

第六十七条　生後満一年に達しない生児を育てる女性は、第三十四条の休憩時間のほか、一日二回各々少なくとも三十分、その生児を育てるための時間を請求することができる。

『育児時間の請求については、請求があれば与えなければなりませんが、実務上は育児休業を取得するためほとんどこのような請求はありません。』

(生理日の就業が著しく困難な女性に対する措置)

第六十八条　使用者は、生理日の就業が著しく困難な女性が休暇を請求したときは、その者を生理日に就業させてはならない。

『生理日の休暇は請求があれば与えなければなりません。』

(休業補償)

第七十六条　労働者が第75条の規定による療養のため、労働することができないために賃金を受けない場合においては、使用者は、労働者の療養中平均賃金の百分の六十の休業補償を行わなければならない。

『社長さん、業務上で事故が発生して、従業員が入院して働けないあいだ、給料の6割を補償して支払わなければならなくなります。労災保険に加入していれば、国の労災保険で補償できますが（最初の3日間は補償されないため会社が負担しなけれ

ばなりません)、仮に未加入だと大変な会社負担になってしまいます。社長さんはこの事実を十分認識してその他保険の加入も検討しておくべきだと思います。』

第九章　就業規則
(作成及び届出の義務)
第八十九条　常時十人以上の労働者を使用する使用者は、次に掲げる事項について就業規則を作成し、行政官庁に届け出なければならない。次に掲げる事項を変更した場合においても、同様とする。

　『社長さん、この条文にあるように、この本をお読みの大半の社長さんは労働基準監督署への就業規則の届け出の義務はありません。逆にいうと作成しなくても法律の違反になる訳ではありません。ただし、この10人以上はアルバイト等も含みますので、正社員は3人パート7人という場合は対象事業所になってきますので、ご理解のほどお願いいたします。』

(労働者名簿)
第百七条　使用者は、各事業場ごとに労働者名簿を、各労働者(日日雇い入れられる者を除く。)について調製し、労働者の氏名、生年月日、履歴その他厚生労働省令で定める事項を記入しなければならない。

　『労働者名簿は従業員数等人数に関係がありませんので一人で

も作成しなければいけません。巻末にサンプルを掲載してあります。』

（賃金台帳）
第百八条　使用者は、各事業場ごとに賃金台帳を調製し、賃金計算の基礎となる事項及び賃金の額その他厚生労働省令で定める事項を賃金支払の都度遅滞なく記入しなければならない。

『賃金台帳も作成及び保存の義務がありますので、毎月の給与計算結果を記録しておかなければなりません。』

（記録の保存）
第百九条　使用者は、労働者名簿、賃金台帳及び雇入、解雇、災害補償、賃金その他労働関係に関する重要な書類を三年間保存しなければならない。

『労働基準法関係の保存期間は３年が多いように思います。税法の保存期間はもっと長く、７年・５年とのケースが多いように思います。また、よくタイムカードのことを聞かれることがありますが、３年経過すれば廃棄処分しても問題ありません。』

労働契約法

（労働契約法は平成20年に施行された新しい法律で、労働者保護がより強化されることになりました）

第一章　総則

（労働者の安全への配慮）

第五条　使用者は、労働契約に伴い、労働者がその生命、身体等の安全を確保しつつ労働することができるよう、必要な配慮をするものとする。

　　『工場の製造過程や建設の現場での仕事などにおいて、また業種を問わず勤務させる時は、事業主の従業員への安全の配慮が、義務化されておりますので、日頃から安全に仕事ができるように、教育指導する必要があります。』

第二章　労働契約の成立及び変更

（労働契約の成立）

第六条　労働契約は、労働者が使用者に使用されて労働し、使用者がこれに対して賃金を支払うことについて、労働者及び使用者が合意することによって成立する。

第七条　労働者及び使用者が労働契約を締結する場合において、使用者が合理的な労働条件が定められている就業規則を労働者に周知させていた場合には、労働契約の内容は、その就業規則で定める労働条件によるものとする。

(労働契約の内容の変更)
第八条　労働者及び使用者は、その合意により、労働契約の内容である労働条件を変更することができる。

(就業規則による労働契約の内容の変更)
第九条　使用者は、労働者と合意することなく、就業規則を変更することにより、労働者の不利益に労働契約の内容である労働条件を変更することはできない。

『この条文で就業規則の改定条件が不利益な内容に、合意することなく変更できないこととなりました。これにより新規作成は社長さんの裁量で自由にある程度決めることができますが、その規定が制度化され変更するとなると、勝手にできなくなりました。』

(解　　雇)
第十六条　解雇は、客観的に合理的な理由を欠き、社会通念上相当であると認められない場合は、その権利を濫用したものとして、無効とする。

『解雇するときの、争いがあった時のベースになる条文です。要するに勝手に解雇すると、この条文に定めるように解雇権の権利の濫用ということを楯に、今回の解雇は無効であるといった論点で主張してくると予想されます。この条文が訴訟の肝になってきます。』

第5章　社員・従業員への周知テッテイと日常のカツヨウ

（期間の定めのある労働契約）

第十七条　使用者は、期間の定めのある労働契約について、やむを得ない事由がある場合でなければ、その契約期間が満了するまでの間において、労働者を解雇することができない。

2　使用者は、期間の定めのある労働契約について、その労働契約により労働者を使用する目的に照らして、必要以上に短い期間を定めることにより、その労働契約を反復して更新することのないよう配慮しなければならない。

　『社長さんここは、重要なところなので、しっかり読んでいただきたいと思います。従業員を採用する時に、正社員にするかパートにするか、考えると思います。その時の違いは何かなどと言ったことは、労働基準法では明確に定められていません。一般的には正社員は定年まで働いてもらう職種ということで、雇用期間は期間の定めなしといった契約内容です。一方でパートの時は1年とか6カ月とか、雇用期間を決めて、どういうときに更新するのか、更新しないのかといった内容を定めて契約する職種になるかと思います。そして基本的には、正社員は社会保険・雇用保険に加入し、週20時間以上31日間以上の雇用の見込みがある方がパートの方でも雇用保険に加入し、その会社が1日8時間労働であれば3/4の週30時間以上および正社員の3/4以上の労働日数があり2カ月超の雇用の見込みがある方は社会保険にも加入するといった契約内容になってくるかと思い

ます。こういった内容を雇用契約書で定めておくことが、後々の労務トラブルの予防にもなりますので、しっかりやられることをお勧めします。但し、さきほどの社会保険加入の基準を満たしていなくても令和4年10月からは被保険者（短時間労働者を除く）の総数が常時100人を超える特定事業所は①週の所定労働時間が20時間以上であること②雇用期間が2カ月を超えて見込まれること③賃金の月額が88,000円以上であること④学生でないことの以上の条件を満たすときは、社会保険に加入しなければならなくなってきました。そして、令和6年10月からは常時50人を超える事業所も対象となってきます。まだ、10人未満の中小零細企業では、これまでのような条件での社会保険加入の考え方でいけますが、やがて雇用保険の加入基準と同じ週20時間以上のかたも加入していく時代になっていくのではないかと思います。』

（有期労働契約の期間の定めのない労働契約への転換）
第十八条　同一の使用者との間で締結された2以上の有期労働契約（契約期間の始期の到来前のものを除く。以下この条において同じ。）の契約期間を通算した期間（次項において「通算契約期間」という。）が5年を超える労働者が、当該使用者に対し、現に締結している有期労働契約の契約期間が満了する日までの間に、当該満了する日の翌日から労務が提供される期間の定めのない労働契約の締結の申込み

をしたときは、使用者は当該申込みを承諾したものとみなす。この場合において、当該申込みに係る期間の定めのない労働契約の内容である労働条件は、現に締結している有期労働契約の内容である労働条件（契約期間を除く。）と同一の労働条件（当該労働条件（契約期間を除く。）について別段の定めがある部分を除く。）とする。

2　当該使用者との間で締結された1の有期労働契約の契約期間が満了した日と当該使用者との間で締結されたその次の有期労働契約の契約期間の初日との間にこれらの契約期間のいずれにも含まれない期間（これらの契約期間が連続すると認められるものとして厚生労働省令で定める基準に該当する場合の当該いずれにも含まれない期間を除く。以下この項において「空白期間」という。）があり、当該空白期間が6月（当該空白期間の直前に満了した1の有期労働契約の契約期間（当該1の有期労働契約を含む2以上の有期労働契約の契約期間の間に空白期間がないときは、当該2以上の有期労働契約の契約期間を通算した期間。以下この項において同じ。）が1年に満たない場合にあっては、当該1の有期労働契約の契約期間に2分の1を乗じて得た期間を基礎として厚生労働省令で定める期間）以上であるときは、当該空白期間前に満了した有期労働契約の契約期間は、通算契約期間に算入しない。

『社長さん、さきほど期間の定めのある契約の条文について解

説しましたがこの条文は平成25年4月1日に施行された改正法です。この条文の中身は簡単にいう、平成25年の4月から連続5年を超えて働いた有期雇用労働者が申請すれば、会社はその人を無期雇用にしなければならないという労働契約法が施行されたのです。いま社長さんの会社で、パートさんなどで、1年ごとに更新しているような契約ですと、平成25年4月1日以前から勤務している方であれば、平成30年4月1日以降社長さんに私を無期雇用にしてくださいと言われたら次の更新時から無期雇用にしなければならなくなってくるのです。もし、それがいやであれば、やめてもらうか、6カ月間（クーリング期間）仕事を休んでもらい再度、勤務してもらえれば5年を超える期間が再度勤務を開始したときにリセットされます。いかがですかこの法律の内容はこのようなイメージです。例外として定年後引続き雇用されている者とか5年を超える一定の期間内に完了されることが予定されている高度な専門知識など有する者などがありますが、零細企業では、人件費・人手不足の兼ね合いもありますので、5年を超える有期雇用契約のパートの方などの処遇については今後どうしていくのか、十分考慮しておく必要があると思います。』

(有期労働契約の更新等)
第十九条　有期労働契約であって次の各号のいずれかに該当するものの契約期間が満了する日までの間に労働者が当該

有期労働契約の更新の申込みをした場合又は当該契約期間の満了後遅滞なく有期労働契約の締結の申込みをした場合であって、使用者が当該申込みを拒絶することが、客観的に合理的な理由を欠き、社会通念上相当であると認められないときは、使用者は、従前の有期労働契約の内容である労働条件と同一の労働条件で当該申込みを承諾したものとみなす。

一 当該有期労働契約が過去に反復して更新されたことがあるものであって、その契約期間の満了時に当該有期労働契約を更新しないことにより当該有期労働契約を終了させることが、期間の定めのない労働契約を締結している労働者に解雇の意思表示をすることにより当該期間の定めのない労働契約を終了させることと社会通念上同視できると認められること。

二 当該労働者において当該有期労働契約の契約期間の満了時に当該有期労働契約が更新されるものと期待することについて合理的な理由があるものであると認められること。

　『この有期労働契約の更新等については、労働問題でよく問題になるテーマです。簡単に言えば、1年毎の更新契約であれば、合理的な理由がなければ雇止めはできないということであります。裁判になればほとんどが労働者側が勝利する確率が高い案件かと思われます。コロナ禍前は人手不足でこのような争いが急激に減少してきたのではないかと思いますが、コロナ禍では

期間満了での雇止めのケースも多くなってきております。このようなケースではやはり、雇用契約書に有期契約で期間満了の契約条件になっているかどうかがトラブルいわゆる労務災害になるかどうかのポイントの一つとなってきます。』

短時間労働者及び有期雇用労働者の雇用管理の改善等に関する法律

（不合理な待遇の禁止）
第八条　事業主は、その雇用する短時間・有期雇用労働者の基本給、賞与その他の待遇のそれぞれについて、当該待遇に対応する通常の労働者の待遇との間において、当該短時間・有期雇用労働者及び通常の労働者の業務の内容及び当該業務に伴う責任の程度（以下「職務の内容」という。）、当該職務の内容及び配置の変更の範囲その他の事情のうち、当該待遇の性質及び当該待遇を行う目的に照らして適切と認められるものを考慮して、不合理と認められる相違を設けてはならない。

（通常の労働者と同視すべき短時間・有期雇用労働者に対する差別的取扱いの禁止）
第九条　事業主は、職務の内容が通常の労働者と同一の短時間・有期雇用労働者（第十一条第一項において「職務内容

第5章 社員・従業員への周知テッテイと日常のカツヨウ

同一短時間・有期雇用労働者」という。)であって、当該事業所における慣行その他の事情からみて、当該事業主との雇用関係が終了するまでの全期間において、その職務の内容及び配置が当該通常の労働者の職務の内容及び配置の変更の範囲と同一の範囲で変更されることが見込まれるもの(次条及び同項において「通常の労働者と同視すべき短時間・有期雇用労働者」という。)については、短時間・有期雇用労働者であることを理由として、基本給、賞与その他の待遇のそれぞれについて、差別的取扱いをしてはならない。

『この条文は中小企業では2021年4月から施行された同一労働・同一賃金の改正となるベースの法律で、改正と同時に労働契約法での条文はなくなり、短時間労働者及び有期雇用労働者の雇用管理の改善等に関する法律に移行されました。その内容は有期労働者と無期労働者との間で労働条件に相違があり得ることを前提に、職務内容・当該職務の内容及び配置の変更の範囲・その他の事情を考慮して、その相違が不合理であってはならないものとするというものであり、職務の内容等の違いに応じた均等のとれた処遇を求めるという内容であります。分かりやすく言えば、手当等に明確な基準がなければ支給に差を設けてはいけないということであります。従って中小零細企業では、パートさんなどと明確な支給基準の相違がなければパートさんにも正社員と同じ手当を支給しておくべきであると思いま

す。そのような対応がパートさんなどの離職防止にもつながってくるのではないかと思います。』

　以上、最低限理解していただきたい、条文を掲載解説してみました。また参考資料として、更に詳しく労働基準法の基本条文を巻末に資料として掲載してありますので、ご参考にしてください。おそらく、毎日多忙な社長さんが、従業員を雇いながら、その基本となる、雇用の法律の条文を目にすることはほとんどないと思われます。なにか訴訟になれば、弁護士に依頼すればいいという考えではなく、健康も病気になってからでなく、日常の健康管理、いわゆる予防の考え方が重要であるように、労務管理も予防という視点からみれば、人を雇うのであれば、経営者はその法律である労働基準法は働き方改革もあり、これまで以上に一読はしておくべきであると私は日頃から感じています。

3　日常の就業規則の管理について

　いかがですか。社長さん、人を雇うということは意外と大変です。単に賃金を支給すれば足りる、というものではないということです。法律により、労働者の権利というものが認められている以上、そのことを理解したうえで人を雇わなければいけないということです。

第5章　社員・従業員への周知テッテイと日常のカツヨウ

　この前提に立って、日常の就業規則の管理について、話をこの章の最初に戻り考えていきたいと思います。

　基本的には、就業規則を事務所の閲覧しやすい場所に常時閲覧できる状態にしておくか、パソコンで閲覧可能の状態にされておれば法律的には問題はありません。私の提案としては、会社の経営理念・戦略が就業規則に掲載してあれば、毎週月曜日とか、毎月の1日に経営理念・戦略を全員で唱和するなどをお勧めします。私の事務所では参考になるかどうか分かりませんが、経営戦略10カ条として次のようなものを唱和しております。よろしかったらご活用ください。

事務所経営戦略10カ条

第1条　事務所の経営は粗利益が大本になっている。業績をよくするには職員1人当りの粗利益を業界平均より2割多くすることを目ざせ。

第2条　その粗利益は、お客様のお金をもらった時しか出ない。すべての経営はお客様からはじまり、すべての産業もお客様がいるから成り立っている。経営の本質はお客様を作り維持することにあるのだ。

第3条　粗利益を多くするには、まず顧問先の数を多くし、

次にその顧問先から他社より多くの注文をもらうか、紹介をもらうよう努力することが優先、不可欠。

第4条　商品を買うかどうかの決定権はお客様が100%持っていて事務所側はゼロ。今迄のお客様が他社から商品を買っても、何1つ文句は言えない。

第5条　お客様を多くするには、お客様に不便をかけないことが第1になる。事務所をお客様の目で総点検し、お客様に不便をかけている所があったらすぐに改善せよ。お客様は言い訳など聞いてくれない。

第6条　電話とFAXの「使用中」は最低の経営。4回以上の呼び出しになっていないか。FAXにスジが入っていないか。

第7条　電話はお客様を良く知っている人が取るのが原則。ニブイ人やお客の社名を知らない新人に電話を取らせるな。
電話は要件を聞かず、担当者にパッと回せ。お客様を取り調べたりするな。

第8条　所長や担当者が不在の時に電話があり、お客様が自分の方からすると言っても必ずメモに残せ。お客様は

用もないのに電話はしない。

第9条　報連相はお客様から始めよ。入金があったらすぐにハガキを出す。手続きの依頼があったらすぐに取り組む。明日にのばすな。

第10条　お客様が思っていること以上の何かをしたり、お客様の役に立つことをどこよりも熱心に実行し、お客様から好かれて気に入られることで、地元№1をめざせ。この仕事が自分の人間を作り人格を磨くことになる。

　色々なコンサルタントが経営とはこうあるべきだとか、様々な理論があります。どれが正しいかなどというのは、私には分かりませんが、中小零細企業であれば、意外と私の事務所のように、10カ条とかいった内容で、毎日唱和することなどは、従業員も理解しやすいし一番良い方法ではないかと私は思っています。創業間もない社長さんであれば、これは良いと思ったらそれをドンドン真似してやられたらいいと思います。真似してやっていくなかで、自社オリジナルなものが見えてくると思います。
　いかがでしょうか。就業規則の閲覧と単純に考えればそれで終わりですが、自社の経営の中で有効活用できないかといった視点で考えてみるといろいろ工夫ができるものです。

私は、この本を読んでいただいておられる社長さんに、就業規則を単に労務管理だけの世界にとどめないで、会社の売上につなげる運用ルールとして、活用の範囲を拡大していただきたいと思っています。そして経営のベースである人の問題を一歩進めて、やる気のある人材育成にまでつなげていっていただきたいと願うものであります。

　幸いこの本の読者は、人の雇用の労務管理については、これで同業他社より一歩進んだ、差別化戦力が出来上がっていくのではないかと思います。

　会社経営の中で一番経費のかかる人件費ですが、意外と社長さんはこの最大の経費の活用、いわゆる雇用の課題に対してあまり考えていません。就業規則の有効活用はそこに直結するものだとご理解していただけたものと思います。

4　労働基準監督署に届け出しない？

　労働基準法では、就業規則の届け出の義務は10人以上（パート含む）からとなっています。この本の読者はそのほとんどが、中小零細企業10人未満の社長さんが多いので、基本的には届け出の義務はありません。しかし、届け出てもいい訳です。届け出の効果としては、うちの会社の就業規則は労働基準監督署へも届けてあり、しっかりした対応がなされているのだと、従業員には思われると思います。実務的には、労働

第5章 社員・従業員への周知テッテイと日常のカツヨウ

基準監督署に届け出てないとその効力はないものと思っている社長さんが多いのですが、監督署に届け出があるかどうかは、効力の面では関係ありません。従業員に周知して社長さんが何月何日から施行すると決めた日が施行日になります。

　また、よくある質問で、社長が決めたことに、従業員が反対した条文がある就業規則は施行できるのかといった質問がよくあります。これについては、前章で勉強した労働基準法を下回らない内容であれば、従業員の反対があっても、施行できます。施行に従業員さんの同意までは必要とされていないからです。ただし、一旦定めた就業規則を変更する時は、法律の改正があり、不利益変更に関しては同意が必要とされるようになりました。

　例えば、1日休憩時間を除き7時間30分の労働時間を1日8時間労働の時間に変更するときなどは、従業員にとっては、労働時間が長くなり、労働条件が不利になってきますので、基本的には従業員の同意を得て改定することになると思います。

　改定するとすれば、年間休日日数を増やすとか代替的な措置を検討して提案すれば同意してくれるのではないかと思われます。

　社長さん、就業規則は一度定めても以後、何回でも改定していけます。ですから、会社の成長に合わせて、随時改定していくことをお勧めします。実務的には、一度作成されると、

そのまま放置されているケースが見受けられます。ある会社では昭和61年に作成して一度も改定されていない就業規則などもありました。私の提案としては、決算終了した時とか、12月末・3月末など年に一回は改定していってもいいのではないかと思っています。

5 会社経営に使うとっておきの活用法

この本を購入いただいた社長さんの多くは、就業規則を日常の経営戦略のなかで、どのように活用するか、といった視点でお考えの社長さんはほとんどいないと思います。

経営全体を分析するならば、ランチェスター経営で有名な竹田先生によれば営業（地域・業界・客層・営業方法・顧客維持）戦略・商品関連戦略・組織関連戦略・財務関連戦略に分類できると言われています。そのうち営業と商品で経営全体の8割のウエイトがなされるとのことです。組織と財務を合計して約2割のウエイト付けです。これも人間の体と同じように、どの部分も必要不可欠です。多くのコンサルタントは、営業に強ければ営業強化をはかれば売上アップが図れると言ったり、会計に強いコンサルタントは財務を強化すれば会社経営がよくなりますと言われます。私共の業界であれば、就業規則や人事制度・賃金制度を改善すれば会社はどんどん良くなると多くのコンサルタントはお話しされます。こ

第5章　社員・従業員への周知テッテイと日常のカツヨウ

れらはすべてある意味では正しいのかもしれません。ただここで考えなければならないのは、人間の体と同じように、肝臓の回復が必要なのか、それとも足腰の強化が必要なのかというように、会社の実態に応じて課題は違ってくると思います。

　この本の読者である中小零細企業の多くの社長さんは、営業・商品戦略は相当日々のお仕事のなかで取り組まれておられると思います。ところが組織関連戦略は、経営全体のウエイトからみれば2割にも満たない状況でありますが、これをおろそかにすれば必ず、人間の体と同じようにどこかに無理が重なり障害が発生してくることになります。私が主張したいことは、経営全体のなかでの労務管理のウエイトは少ないですが、営業だけを強化していくと、どこかで行き詰ることがあるということです。それがこの本で紹介した、『労務災害』となってくると思います。このような視点で労務管理を考えるならば、今回提案させていただいた伝説の就業規則は、なんでも自分でしなければならない中小零細企業の社長さんには大変有効に活用していただけるものと思っています。

　経営を時間で分析すれば多くの中小零細企業の社長さんは一般の労働者の年間総労働時間2,000時間に対して、倍の4,000時間は働いていると思います。先ほどの経営のウエイト付けからもわかりますが、仮に労務管理の比率が1割だったとしても400時間になります。普段いかに、組織対策にエ

ネルギーを使っていないかが多くの社長さんはご理解していただけたものと思います。

このような視点にたって、就業規則を経営のなかで、どのように活用すべきか考えてみたいと思います。就業規則関連の多くの書籍は、そのことについてはほとんど触れられていません。実は一番重要なことではないかと考えています。作って閲覧ができる状態にしておけば、確かに労働基準法からは何の問題もありません。中小零細企業の経営はその約9割以上は社長さんの行動で決まると言われていますが、私は、就業規則は社長さんがいないときや、会社の朝礼時に経営理念・戦略を唱和するなど、社長さんのもの言わぬ分身として位置づけて考えてみてはどうかと思っています。就業規則は会社のルールです。ルールであれば、就業規則は社長さんの経営の具体化された経営哲学であると私は解釈しています。就業規則の服務規律のなかに、会社独自の業務マニュアルを記載すれば、それは新しい従業員が入社した時の現場の仕事のOJTのテキストにもなります。また、経営理念・戦略などが整備されておれば、新しい従業員の入社時の研修テキストにもなってきます。毎年積み重ねていけば、御社独自のノウハウの固まりになってくると思います。

私の知る多くの会社はここまでの就業規則の活用はされていません。従業員が10人以上いる会社であれば、総務担当的な従業員も置けますが、中小零細企業の社長はすべてオール

第5章　社員・従業員への周知テッテイと日常のカツヨウ

マイティーでお仕事をやられているのが実態ではないかと思います。だからこそ私は今回提案したような、就業規則の活用をベースとした労務管理をお勧めします。このような運用をされれば、同業他社の会社との差別化戦略の一つになってくると思います。また、事業が拡大して銀行の融資などを受ける時に、財務関係の書類以外に、この本で紹介したような労務管理をやっていますと言えば、ほとんどの銀行の支店長には好印象を与えると思います。

　いかがですか、中小零細企業の経営は社長さんの頭の中にほとんど入っおり、社長さんの経営哲学が文書化されていないのが現状です。仮に、息子さんが、あなたのお仕事を継ぐとなってもなかなかできるものではありません。それは中小零細企業の会社はその経営の殆どが社長さんの頭の中にあり、また行動してきているからです。いかがですか社長さん、ここまで考えることができるのかと驚かれたことと思います。会社の憲法である就業規則は、ここまで展開していけるということをご理解していただければ幸いです。おそらく、この手の本でここまで考えた本はないと思います。

　ここで、いまいちどあなたの会社の経営の可視化またはミエル化が、就業規則という会社規定を活用すればできるきっかけになってくるのではないかと思いますので、真剣に検討されても損はないと思います。形のない経営戦略をいくらかでもミエル化することができれば、今後の会社の経営戦略を

考える際にも大変役立つと思います。

> **10分ノート**
> 　10人未満の会社であれば、就業規則の届出の義務はありませんが、届け出すれば、従業員への規則の信頼感は増すと思われます。就業規則は単に労務管理のツールの範疇から経営戦略上の運用ツールとしての活用まで考えていくことが、中小零細企業では、他社との差別化戦略となってくると思います。

第6章

10人以上になったとき
就業規則の改定

1　10人以上になったら届け出る

　社長さん、ここまで読んでこられて就業規則の必要性や、中小零細企業でも作成して届け出までしたほうが、会社経営にプラスになるとご理解していただけたと思います。

　次は、今後あなたの会社が順調に発展して、従業員も増員する必要がでてきて、従業員が10人以上になってきたら、就業規則はそのままでいいのかどうか考えてみたいと思います。私が保険会社の拠点長をやっていたころ、一番営業職員の少ない店舗で、赴任した当時は職員5人前後の陣容であったかと思います。その後、2年間で約20人近い陣容まで、営業職員を拡大してきましたが、確かに職員が10人を超えたところから、組織としての人間関係に悩み苦しんでいたことが

思い出されます。労働基準法では、従業員が10人以上になったら、就業規則の届け出が義務化されてきます。従って、10人以上になれば、当社は就業規則は作成していませんでしたなどということは、通用しなくなってきます。届け出がないと30万円以下の罰金に処せられることもあります。10人以上になれば、労働基準法に定められているように、職場のルールがないと組織としての運営に支障が出て来ると、自分の些細な経験ですが思っています。その点でこの法律は、理にかなった定めかと思います。

　零細企業のように従業員3～4人の会社であれば、社長と従業員というように2階層の組織で、組織的には非常にまとめやすい組織であると思います。しかし10人以上になると、やはり組織は社長・部長・従業員というように3階層の組織になってくると思われます。昔からよく言われていますが、組織は3割が会社にいてほしい人材、3割がどちらともいえない人材、3割がいなくてもいい人材といわれています。これは真実だと思います。私も、保険会社時代全体で30人の職員のうちダメな職員を10人退社させていけば組織は再生してくると考え実施しましたが、しばらくすると、今までどちらともいえない人材の方が不思議にもいなくていい人材に変わってしまうものです。組織とは不思議なものだとよく思ったものです。中小零細企業では、もともと素晴らしい人材が入社してくる確率は極めて少ない訳ですから、大事に育てる

第6章 10人以上になったとき 就業規則の改定

という視点が重要ではないかと思っています。そうした時に従業員を育成するツールとして就業規則は十分活用できると思います。社長さん、仮に御社に優秀な従業員が入社したらどうですか？　最初はいいかもしれませんが、いずれ社長さんの経営に文句を言ってくるようになりますし、やがて御社のノウハウをもって独立し、やがて、社長さんのライバルになってくる可能性があります。私は中小零細企業の採用人事は人柄の良さを重点に採用するべきであると考えています。

社長さんいかがですか？　従業員2〜3人の会社から10人以上の会社に成長するには、かなりの壁があると思います。

就業規則の届け出の義務がない社長さんであれば、10人以上の会社に成長した時、就業規則を作成し届け出ればいいのではないかとお考えかと思いますが、これまでお話してきたように成長の壁を破るためにも経営戦略として就業規則の有効活用を積極的に考えてもいいのではないかと思います。

2　10人以上になればショウサイな規則も必要になる

めでたく会社が発展を続けていき、従業員も10人以上の組織になったら、就業規則はどうすればいいのかと思われているのではないかと思います。売上も1億の壁を突破して、いろんな苦労を重ね、人材も10人以上の会社に成長してきたのだと思います。労務管理にも苦労してきていると思います。

この本で提案の就業規則をそのまま労働基準監督署へ届け出されてもいいと思いますが、私の経験では、10人以上の従業員になったなら、就業規則も一歩進んで、詳細な項目まで、見直しをお勧めします。その際には、私共のような専門家に相談をしながら、見直しをされることをお勧めします。具体的には解雇事由とか懲戒解雇事由などの項目は時代の変化とともに、詳細な内容に見直しをしておくべきだと思います。たとえばセクハラ・パワハラ・マタハラなどの防止規定などは、20年前の就業規則で規定されている会社はあまりありませんでした。しかし、現在はほとんどどこの会社でも記載されていると思います。また、育児・介護休業も法律がよく変化していくので、10人以上になれば、詳細な別規定が必要になってくると思われます。退職金などについても、10人以上になれば、真剣に考える時がやってくると思います。退職金規程は一旦就業規則で制度化してしまえば、会社として必ず支払う義務が発生してきます。退職金はないということであればそのように定めでおく必要があると思います。

　10人以上になれば、賃金規程も社長さんの考えが反映された規程に、制度化していく時期にきていると思われます。

　よく賃金コンサルタントの本をよんで、職能資格制度のような制度を導入して賃金表を作成している社長さんがおりますが、私の個人的な意見では中小零細企業の場合は、賃金制度はあまり凝ったものにしないで、単純な制度で十分である

第6章　10人以上になったとき　就業規則の改定

と思います。検討するとすれば、10人以上の従業員数になった時が検討するときかもしれないと思っています。以上のように10人以上になると組織も3階建てになり、労務管理の全体的視点からみても大きく変化していく時期です。それは、就業規則がより詳細な内容への規定を必要とされてくる時期と重なります。10人以上の就業規則は、いろんな本も出版されておりますので、専門家とか本を参考にされるのもいい方法であると思います。

　数年前、紹介を受けて就業規則を見直しをした創業50年近い歴史のある従業員約60人の会社でこんなお話がありました。2代目の社長さんとお話ししていましたら、当社では創業以来解雇したものは一人もなく、創業以来労使のトラブルのようなことは一度も発生したことはないとのことでした。そのお話をお聞きして、なんと素晴らしい会社かと思いました。確かにこのような会社であれば法律では就業規則は確かに必要ですが、実務は不用でも問題ないかもしれません。よくお話をお聞きするとやはり先代の社長さんの人柄やカリスマ性が素晴らしいことが分かりました。

　やはり、中小企業は経営者で約9割以上、経営は決まるといわれますが、この会社の事例はまさしくそれを物語るものであると感じました。

　時々私も仕事の目的とはなにか？　といったことを考えることがあります。この前ある有名な社長がこのようなお話を

されておりました。

　私は事業を始める時は、以下の三つのポイントが全部クリアーできるかどうかで考えるとお話しされておりました。

その1　私はその新規事業が社会貢献しているかどうか？
その2　私はその事業が儲かるかどうか？
その3　私はその事業をやることによって気持がワクワクするかどうか？

　いかがですか？　またランチェスター経営で有名な竹田先生は経営の目的はお客様を創ることにあるとお話しされています。たしかに経営の目的をお金儲けだけにもっていくならば、会社は不動産投資とか株式投資に走ったりして、かつてのバブル期の多くの経営者が失敗していった歴史を教訓にすれば、理解できるのではないかと思います。

　就業規則作成も、経営者の思いが形になるような、社会的に貢献して従業員の給料がアップして、規則を読んでいるとワクワクするような就業規則を、10人以上になったら検討して作成していくのもいいのではないかと、私の勝手な考えですが思っています。最後に私は、中小零細企業の従業員はなんだかんだといっても、最終的には社長さん、そうです社長さんのことが大好きだから働いてくれるのではないかと思っております。

第6章 10人以上になったとき 就業規則の改定

> **10分ノート**
> 　会社が順調に成長して従業員が10人になったら、就業規則は労働基準監督署に届け出が必要になります。その際に諸規程についても、この際より詳細な規程に見直しをする時期であると思われます。

〈参考資料〉

（この規則に会社の社名と数字を記入していただきコピーしていただければ1時間で作成できます）

（この規則をそのまま会社のボードに張っておいてもOKです）

伝説の就業規則
（　　会社）
「経営理念・経営戦略」

目次

第1条　この規則の目的とするところ
第2条　採用方針
第3条　始業、終業の時刻および所定労働時間
第4条　休日および変形労働時間制
第5条　休日の振替
第6条　年次有給休暇制度
第7条　休職の制度
第8条　特別休暇制度
第9条　その他の休暇等
第10条　服務及び業務マニュアル規程について
第11条　懲戒の種類、程度
第12条　懲戒

〈参考資料〉

第13条　解雇
第14条　定年制度
第15条　退職
第16条　賃金締切日および支払日
第17条　賃金の構成
第18条　基本給の考え方
第19条　賞与の支払方針
第20条　退職金制度
第21条　損害賠償事由
第22条　疑義および解決

（この規則の目的とするところ）
第1条　この規則は、　　　　　　　　　　（以下、「会社」
　　　という。）の従業員の、採用から退職までの労働条件その他の就業に関する事項を定めたものである。なおこの規則は会社の機密文書であるため、所定の場所から取り外したり、複写したり、社外の者に閲覧させたり、社外に持ち出してはならないものとする。

（採用方針）
第2条　会社は就業を希望する者から、会社の選考により決定し、必要な書類の提出のあったものを試用期間　　カ月を経過した後、当社の経営方針に同意し、適格性

に問題なければ本採用とするものとする。この規則以外の労働条件を定めた時は個別の雇用契約書の定めに従うものとする。

(始業、終業の時刻および所定労働時間、就業場所)
第3条　始業、終業の時刻および休憩の時刻は、次のとおりとする。

```
始業　午前　　時　　分
終業　午後　　時　　分
休憩　午前　　時　　分～午前　　時　　分
休憩　午後　　時　　分～午後　　時　　分
休憩　午後　　時　　分～午後　　時　　分
始業とは業務を開始する時刻であり、終業とは業務の終了時刻である。
出社及び退社の時刻ではないものとする。
```

(2) 1日の所定労働時間は実働　時間　分とする。ただし休憩時間、始業終業の時刻は業務の都合により変更することがある。また所定労働時間を超えて、時間外労使協定の範囲内で労働を命じることがある。

(3) 勤務場所は原則会社であるが、コロナ対策や育児休業等により希望する者は、自宅、サテライトオフイス等でのテレワーク勤務を許可することがある。

〈参考資料〉

(休日および変形労働時間制)

第4条　休日は、次のとおりとする。

　　1．毎週日曜日および国民の祝祭日
　　2．夏季休暇　　　日間・年末年始　　　日間
　　3．その他会社が定める日
　　4．会社カレンダーがあるときはその定めによる。
　　5．業務の都合により休日を変更することがある。
　　6．1年単位叉は1カ月単位の変形労働時間制を採用するときは休日はその協定によるものとする。
　　7．1週間に2日以上の休日があるときは、その中の1日を法定休日とする。

(休日の振替)

第5条　業務の都合でやむを得ない場合は、前条の休日を2週間以内の他の日と振り替えることがある。

　(2)　前項の場合、前日までに振替による休日を指定して従業員に通知する。

(年次有給休暇制度)

第6条　従業員に対し、本人からの請求に基づき労働基準法に定める年次有給休暇を与える。ただし、多忙な時は時期を変更することがある。また、取得日が5日に満たない場合は、会社は従業員の希望を踏まえて時季を

指定して年次有給休暇を与えるものとする。会社との労使協定により、計画的に時季を定めたときは、当該労使協定に従って取得しなければならないものとする。

(休職の制度)
第7条　従業員が次に該当する時は、休職とする。
　　1．業務外の傷病（傷病理由を問わず）により、欠勤となり1カ月以上にわたるとき、または、業務外の傷病による欠勤が前3カ月間で通算して30日目になったときには、2カ月間の休職期間を与える。その間の賃金は支給しないものとする。ただし、健康保険に加入している人は基準を満たせば、その制度から所得補償をうけることができるものとする。
　　2．前号の他、特別の事情があって休職させることを必要と認めたときには必要な範囲で会社が認める期間与えるものとする。
　　3．業務上の災害により、欠勤となる時は、労働基準法・労働者災害補償保険法の定めるところにより、必要な休業補償、療養補償を受けることができる。

(特別休暇制度)
第8条　従業員が、次の各号のいずれかに該当し、本人の請

〈参考資料〉

求があった場合に、当該事由の発生した日から起算して、それぞれの日数を限度として与える。

	事　　由	休暇日数
1	本人が結婚するとき	日
2	子が結婚するとき	日
3	実兄弟姉妹が結婚するとき	日
4	実養父母、配偶者、子が死亡したとき	日
5	配偶者の父母および兄弟姉妹が死亡したとき	日
6	その他、会社が特に必要と認めたとき	会社が必要と認めた期間

(2) 特別休暇を受けようとする従業員は、事前又は事後速やかに届け出て、会社の承認を得なければならない。特別休暇の間の賃金は、社員の喜びと悲しみを分かち合うという意味で原則有給扱いとする。ただし、会社の都合によっては、無給とすることもある。

(その他の休暇等)

第9条　従業員は、個別の法律の定めるところにより、産前・産後休暇、生理休暇、育児時間、育児休業・看護休暇、介護休暇、介護休業、公民権行使等の時間を利用することができる。特に育児休業については、妊娠、出産の申し出があったときは制度の周知と取得の意向を会

社は確認するものとする。
(2) 本条の休暇等により休んだ期間については、原則として無給とする。ただし、産前産後休暇・育児休業・介護休業のときは、健康保険・雇用保険に加入している人は、基準を満たしていればその制度から所得補償を受けることができるものとする。

(服務及び業務マニュアル規程について)
第10条 従業員は、常に次の事項を守り服務に精励しなければならない。この服務及び業務マニュアルに違反する時は懲戒処分の対象となることがある。
 1．業務上の指揮命令及び指示・注意に従うこと
 2．正当な理由なく遅刻、早退および欠勤等をしないこと
 3．時間外の業務が必要なときは、社長の許可を得てからすること、残業時にはダラダラ残業はしないこと。テレワークのときは、業務の開始時および終了時において、電話、電子メール、勤務勤怠ツールなどで会社に連絡するものとする。テレワークにおいて、やむなく労働時間が算定しがたい状況のときは、事業場外労働によるみなし労働時間制を採用することがある。
 4．会社の名誉を害し信用を傷つけるようなことをし

〈参考資料〉

ないこと

5．会社・取引先の営業秘密その他の機密情報や会社・取引先の保有する個人情報及び特定個人情報(以下「会社情報」という。) を本来の目的以外に利用、漏洩（毀損、複写等を含む）し、又は会社情報や会社の不利益となるような事項を他に漏らし、又は私的に利用しないこと（退職後においても同様である。）

6．税務・社会保険の手続きの関係で個人番号（マイナンバー）に関して、書類の提出を求められたら、拒んではならない。

7．個人番号（マイナンバー）の事務を取り扱う者は番号が漏洩しないように番号法を順守して厳格に業務を行わなければならない。

8．会社の車両、機械、器具その他の備品を大切にし、原材料、燃料、その他の消耗品の節約に努めること

9．会社の製品・商品および会社情報・資料等を傷つけたり紛失・消去等しないこと

10．業務上の都合により配置転換・転勤を命ぜられた時は、従わなければならない。

11．酒気をおびて通勤し又は勤務しないこと

12．職場の整理・整頓・清潔（３Ｓ）に努め、常に清潔に保つようにすること

13. 自らの安全と健康に留意し、安全衛生に関する会社の指示命令に従い、災害防止に努めること
14. 作業を妨害し、又は性的言動等により就業環境を悪化させるセクシャルハラスメント又はパワーハラスメント、マタニティハラスメント等の行為、その他職場の風紀秩序をみだすような行為をしないこと。そのために、会社は相談窓口を設置するものとする。
15. 会社の定める業務マニュアル規程に従って仕事をしなければならない。

　　（業務マニュアル規程は別に定める）
16. 前各号のほか、これに準ずる従業員としてふさわしくない行為をしないこと

（懲戒の種類、程度）
第11条　懲戒は、その情状により次の区分により行う。
　　1．けん責　　始末書をとり、将来を戒める。
　　2．減　　給　　1回の事案に対する額が平均賃金の1日分の半額、総額が1カ月の賃金総額の10分の1の範囲で行う。始末書をとりけん責に止めることもある。
　　3．出勤停止　7日以内で出勤を停止し、その期間中の賃金は支払わない

〈参考資料〉

4．懲戒解雇　予告期間を設けることなく即時解雇する。この場合において所轄労働基準監督署長の認定を受けた場合は、予告手当（平均賃金の30日分）を支給しない。場合によっては、退職願の提出を勧告し諭旨退職とすることもある。

（懲　　　戒）

第12条　服務規律違反及び次の各号のいずれかに該当する場合は、その程度に応じて前条のいずれかの懲戒に処する。特に会社に損害を与えるような場合は原則として事前に弁明の機会を与え懲戒解雇の処分をすることがある。

1．無届欠勤7日以上に及んだ場合
2．出勤常ならず改善の見込みのない場合
3．会社の名誉、信用を損ねた場合
4．故意又は過失により災害又は営業上の事故を発生させ、会社に損害を与えた場合
5．個人番号（マイナンバー）を故意又は過失により外部に漏洩した場合
6．懲戒処分を再三にわたって受け、なお改善の見込みがない場合
7．服務規律及び業務マニュアル規程又は業務上の指

示命令に違反した場合
 8．重要な経歴を偽り採用された場合
 9．刑事事件で有罪の判決を受けた場合
10．酒気帯び、飲酒等の道路交通法に違反する運転を行ったことが発覚した場合
11．前各号の他、これに準ずる程度の不都合な行為を行った場合

（解　　雇）
第13条　会社は、次の各号に掲げる場合に従業員を解雇することがある。試用期間の期間も含まれる。
 1．従業員が身体又は精神の障害により、業務に耐えられないと認められる場合
 2．従業員の就業状況又は職務能力が不良で、就業に適さないと認められる場合
 3．業務の縮小その他やむを得ない業務の都合による場合
 4．熟練者という条件で採用されたにも関わらず、期待された職務能力が無かった場合
 5．会社の従業員として適格性がないと認められる場合
 6．天災事変その他やむを得ない事由のため事業の継続ができなくなった場合

〈参考資料〉

　　　7．前各号の他、やむを得ない事由がある場合

（定年制度）
第14条　従業員の定年は満60歳とし、定年に達した日の翌日をもって自然退職とする。再雇用に関しては、本人が希望した時は定年に達した翌日から、満65歳になるまで解雇事由に該当しない者は1年又は6カ月ごとの更新により再雇用するものとする。再雇用の労働条件については個別に定めるものとする。満65歳以降も本人が希望するときは満70歳まで更新により継続雇用することがある。

（退　　　職）
第15条　従業員が次の各号のいずれかに該当するに至った場合は、その日を退職の日とし、従業員としての地位を失う。
　　　1．死亡した場合
　　　2．期間を定めて雇用した者の雇用期間が満了した場合又は定年に達した日の翌日（再雇用された者を除く）
　　　3．休職期間が満了したにも関わらず、復職できない場合
　　　4．行方不明となり30日を経過し、会社が所在を知ら

ない場合
5．本人の都合により退職をする時は、少なくても14日前までに退職届を提出して会社の承認があった場合、又は退職届提出後14日を経過した場合

(賃金締切日および支払日)
第16条　賃金は、当月　　日から起算し、当月　　日に締切って計算し　　日（支払日が休日の場合はその前日。）に支払う。欠勤・遅刻・早退があるときは、その時間分の賃金を控除して支給することがある。

(賃金の構成)
第17条　賃金の構成は、次のとおりとする。
1．基本給（日給月給制又は時給制）
2．家族手当
3．皆勤手当
4．通勤手当
5．役職手当（役職手当は残業代として支給するものとする。ただし、時間外割増賃金が、役職手当の額を超えるときは、その差額は残業手当として支給する）
6．住宅手当
7．残業手当（労働基準法に基づき計算する）残業単

〈参考資料〉

価の計算は家族手当・通勤手当・役職手当（残業代を含むと規定したとき）・住宅手当をのぞいた賃金を1カ月の平均所定労働時間で割って計算するものとする。法定労働時間を超えたとき、労働基準法に定める割増賃金を計算するものとする。手当は支給条件が満たされなくなれば、その月から支給されなくなるものとする。

（基本給の考え方）

第18条　基本給は日給月給又は時給制とする。基本給は、本人の、能力、経験、技能および作業内容などを勘案して各人ごとに決定する。また、毎年会社の業績又は本人の業績により、毎年一定の期日に増減することがある。

（賞与の支払方針）

第19条　賞与は会社の業績により個人ごとの能力を鑑みて支払う。業績によっては支払わないこともあるものとする。ただし、支給日に在籍しない従業員には支給しないものとする。

（退職金制度）

第20条　退職金については、会社が退職金制度を導入した時は支払うが、制度を導入していない間はないものする。

（損害賠償事由）
第21条　従業員が故意または過失により会社に損害をかけた場合は、損害の一部または全部を賠償させることがある。ただし、これによって懲戒を免れるものではない。

（疑義および解決）
第22条　特別の事情のためにこの規程によりがたい場合及び適用上の疑義および解決が必用な時は原則として社長がおこなう。

　　　　　　　　　　本規則は　　年　　月　　日より実施する。

　　　年　　月　　日　　就業規則の内容については確認しました。

　　　　　　　　従業員代表　　　　　　㊞

〈参考資料〉

(業務マニュアル規程) 就業規則第10条15項の定めによる

わが社の従業員は業務に際して下記のマニュアルに従うこと

その1

その2

その3

その4

その5

その6

その7

その8

その9

その10

その11

その12

その13

その14

その15

「経営理念・経営戦略」参考事例

☆ある中小企業の企業経営理念☆

当社はお客様に価格・品質・安心感プラス感動を与えることを
企業理念として、社会の発展に貢献するものとする。

☆ある中小企業の行動規範☆
社員は以下の3つの姿勢を心掛けること
・なにごとも誠実に対応すること
・常にプラス発想で行動して考えること
・問題があれば、お客様視点で考えること

☆三村社会保険労務士事務所経営理念☆
共に感動と感謝の創造

〈参考資料〉

業務規程（当事務所の事例）

（業務マニュアル規程）就業規則第〇条〇項の定めによる

　わが事務所の職員は業務に際して下記のマニュアルに従うこと

その1　朝の出勤の際には、おはようございますと率先して挨拶すること

その2　お客様が事務所にこられた時は、いらっしゃいませと挨拶すること

その3　事務所にこられた、営業マンであっても丁寧に対応すること

その4　データの入力処理は必ず、別の人に必ずチェックしてもらうこと　チェックがなければ入力は未処理とする。

その5　電話は必ず3回以内にとること。所長あての電話は要件は聞かず、すぐつなぐこと

その6　所長不在のときも、電話あったことは至急携帯に連絡すること

その7　事務処理で、不確かなことは、所長か役所に必ず再確認すること　自己判断しないこと　特に個人番号（マイナンバー）については、番号法を順守して取扱うこと

その8　資格取得関係の事務処理は明日に仕事を伸ばさないこと

その9　報酬の入金や手土産をいただいた時は、必ずお礼ハガキをだすこと

その10　先輩を立て、人と接する時は、常に敬意を持って接すること

その11　仕事で知り得たお客様の個人情報及び特定個人情報は自宅等で、他言しないこと

その12　仕事を通して改善事項を思いついたら積極的に提案すること

その13　毎日の新聞等でお客様に関係することがあれば、所長に情報提供すること

その14　給与計算等の重要なデータ処理は必ず毎回バックアップしておくこと

その15　仕事を通して自己研鑽し、自分を磨いていくとの気持ちで、日々業務に取り組むこと

（事例のようにマニュアルを会社の成長と連動して追加していく）

〈参考資料〉

「働き方改革により、経営者必読の法律」
（太字の条文は本の中で解説した条文です）

労働基準法

第一章　総則

（労働条件の原則）

第一条　労働条件は、労働者が人たるに値する生活を営むための必要を充たすべきものでなければならない。

2　この法律で定める労働条件の基準は最低のものであるから、労働関係の当事者は、この基準を理由として労働条件を低下させてはならないことはもとより、その向上を図るように努めなければならない。

（労働条件の決定）

第二条　労働条件は、労働者と使用者が、対等の立場において決定すべきものである。

2　労働者及び使用者は、労働協約、就業規則及び労働契約を遵守し、誠実に各々その義務を履行しなければならない。

（均等待遇）

第三条　使用者は、労働者の国籍、信条又は社会的身分を理由として、賃金、労働時間その他の労働条件について、差別的取扱いをしてはならない。

（男女同一賃金の原則）
第四条　使用者は、労働者が女性であることを理由として、賃金について、男性と差別的取扱いをしてはならない。

（強制労働の禁止）
第五条　使用者は、暴行、脅迫、監禁その他精神又は身体の自由を不当に拘束する手段によって、労働者の意思に反して労働を強制してはならない。

（中間搾取の排除）
第六条　何人も、法律に基づいて許される場合の外、業として他人の就業に介入して利益を得てはならない。

（公民権行使の保障）
第七条　使用者は、労働者が労働時間中に、選挙権その他公民としての権利を行使し、又は公の職務を執行するために必要な時間を請求した場合においては、拒んではならない。但し、権利の行使又は公の職務の執行に妨げがない限り、請求された時刻を変更することができる。

（定　　義）
第九条　この法律で「労働者」とは、職業の種類を問わず、事業又は事務所（以下「事業」という。）に使用される者で、

〈参考資料〉

賃金を支払われる者をいう。

第十条　この法律で使用者とは、事業主又は事業の経営担当者その他その事業の労働者に関する事項について、事業主のために行為をするすべての者をいう。

第十一条　この法律で賃金とは、賃金、給料、手当、賞与その他名称の如何を問わず、労働の対償として使用者が労働者に支払うすべてのものをいう。

第十二条　この法律で平均賃金とは、これを算定すべき事由の発生した日以前三箇月間にその労働者に対して支払われた賃金の総額を、その期間の総日数で除した金額をいう。ただし、その金額は、次の各号の一によって計算した金額を下ってはならない。
一　賃金が、労働した日若しくは時間によって算定され、又は出来高払制その他の請負制によって定められた場合においては、賃金の総額をその期間中に労働した日数で除した金額の百分の六十
二　賃金の一部が、月、週その他一定の期間によって定められた場合においては、その部分の総額をその期間の総日数で除した金額と前号の金額の合算額

第2章 労働契約

（この法律違反の契約）

第十三条　この法律で定める基準に達しない労働条件を定める労働契約は、その部分については無効とする。この場合において、無効となった部分は、この法律で定める基準による。

（契約期間等）

第十四条　労働契約は、期間の定めのないものを除き、一定の事業の完了に必要な期間を定めるもののほかは、三年（次の各号のいずれかに該当する労働契約にあっては、五年）を超える期間について締結してはならない。

一　専門的な知識、技術又は経験（以下この号及び第41条の2第1項第1号において「専門的知識等」という。）であって高度のものとして厚生労働大臣が定める基準に該当する専門的知識等を有する労働者（当該高度の専門的知識等を必要とする業務に就く者に限る。）との間に締結される労働契約

二　満六十歳以上の労働者との間に締結される労働契約（前号に掲げる労働契約を除く。）

（労働条件の明示）

第十五条　使用者は、労働契約の締結に際し、労働者に対し

〈参考資料〉

て賃金、労働時間その他の労働条件を明示しなければならない。この場合において、賃金及び労働時間に関する事項その他の厚生労働省令で定める事項については、厚生労働省令で定める方法により明示しなければならない。
2　前項の規定によって明示された労働条件が事実と相違する場合においては、労働者は、即時に労働契約を解除することができる。
3　前項の場合、就業のために住居を変更した労働者が、契約解除の日から十四日以内に帰郷する場合においては、使用者は、必要な旅費を負担しなければならない。

（賠償予定の禁止）
第十六条　使用者は、労働契約の不履行について違約金を定め、又は損害賠償額を予定する契約をしてはならない。

（前借金相殺の禁止）
第十七条　使用者は、前借金その他労働することを条件とする前貸の債権と賃金を相殺してはならない。

（強制貯金）
第十八条　使用者は、労働契約に付随して貯蓄の契約をさせ、又は貯蓄金を管理する契約をしてはならない。
2　使用者は、労働者の貯蓄金をその委託を受けて管理しよ

うとする場合においては、当該事業場に、労働者の過半数で組織する労働組合があるときはその労働組合、労働者の過半数で組織する労働組合がないときは労働者の過半数を代表する者との書面による協定をし、これを行政官庁に届け出なければならない。

3　使用者は、労働者の貯蓄金をその委託を受けて管理する場合においては、貯蓄金の管理に関する規程を定め、これを労働者に周知させるため作業場に備え付ける等の措置をとらなければならない。

（解雇制限）

第十九条　使用者は、労働者が業務上負傷し、又は疾病にかかり療養のために休業する期間及びその後三十日間並びに産前産後の女性が第六十五条の規定によって休業する期間及びその後三十日間は、解雇してはならない。ただし、使用者が、第八十一条の規定によって打切補償を支払う場合又は天災事変その他やむを得ない事由のために事業の継続が不可能となった場合においては、この限りではない。

2　前項但書後段の場合においては、その事由について行政官庁の認定を受けなければならない。

（解雇の予告）

第二十条　使用者は、労働者を解雇しようとする場合におい

〈参考資料〉

ては、少くとも三十日前にその予告をしなければならない。三十日前に予告をしない使用者は、三十日分以上の平均賃金を支払わなければならない。但し、天災事変その他やむを得ない事由のために事業の継続が不可能となった場合又は労働者の責めに帰すべき事由に基づいて解雇する場合においては、この限りでない。
2　前項の予告の日数は、一日について平均賃金を支払った場合においては、その日数を短縮することができる。

第二十一条　〔解雇予告の例外〕前条の規定は、左の各号の一に該当する労働者については適用しない。
一　日日雇い入れられる者
二　二箇月以内の期間を定めて使用される者
三　季節的業務に四箇月以内の期間を定めて使用される者
四　試の試用期間中の者

(退職時等の証明)
第二十二条　労働者が、退職の場合において、使用期間、業務の種類、その事業における地位、賃金又は退職の事由（退職の事由が解雇の場合にあっては、その理由を含む。）について証明書を請求した場合においては、使用者は、遅滞なくこれを交付しなければならない。

（金品の返還）

第二十三条　使用者は、労働者の死亡又は退職の場合において、権利者の請求があった場合においては、七日以内に賃金を支払い、積立金、保証金、貯蓄金その他名称の如何を問わず、労働者の権利に属する金品を返還しなければならない。

2　前項の賃金又は金品に関して争がある場合においては、使用者は、異議のない部分を、同項の期間中に支払い、又は返還しなければならない。

第三章　賃金

（賃金の支払）

第二十四条　賃金は、通貨で、直接労働者に、その全額を支払わなければならない。ただし、法令若しくは労働協約に別段の定めがある場合又は厚生労働省令で定める賃金について確実な支払いの方法で厚生労働省令で定めるものによる場合においては、通貨以外のもので支払い、また、法令に別段の定めがある場合又は当該事業場の労働者の過半数で組織する労働組合があるときはその労働組合、労働者の過半数で組織する労働組合がないときは労働者の過半数を代表する者との書面による協定がある場合においては、賃金の一部を控除して支払うことができる。

2　賃金は、毎月一回以上、一定の期日を定めて支払わなけ

〈参考資料〉

ればならない。ただし、臨時に支払われる賃金、賞与その他これに準ずるもので厚生労働省令で定める賃金（第八十九条において「臨時の賃金等」という。）については、この限りでない。

（非常時払）
第二十五条　使用者は、労働者が出産、疾病、災害その他厚生労働省令で定める非常の場合の費用に充てるために請求する場合においては、支払期日前であっても、既往の労働に対する賃金を支払わなければならない。

（休業手当）
第二十六条　使用者の責に帰すべき事由による休業の場合においては、使用者は、休業期間中当該労働者に、その平均賃金の百分の六十以上の手当を支払わなければならない。

（出来高払制の保障給）
第二十七条　出来高払制その他の請負制で使用する労働者については、使用者は、労働時間に応じ一定額の賃金の保障をしなければならない。

（最低賃金）
第二十八条　賃金の最低基準に関しては、最低賃金法の定め

るところによる。

第四章　労働時間、休憩、休日及び年次有給休暇
（労働時間）
第三十二条　使用者は、労働者に、休憩時間を除き一週間について四十時間を超えて、労働させてはならない。
2　使用者は、一週間の各日については、労働者に、休憩時間を除き一日について八時間を超えて、労働させてはならない。

（災害等による臨時の必要がある場合の時間外労働等）
第三十三条　災害その他避けることのできない事由によって、臨時の必要がある場合においては、使用者は、行政官庁の許可を受けて、その必要の限度において第三十二条から前条まで若しくは第四十条の労働時間を延長し、又は第三十五条の休日に労働させることができる。ただし、事態急迫のために行政官庁の許可を受ける暇がない場合においては、事後に遅滞なく届け出なければならない。

（休憩）
第三十四条　使用者は、労働時間が六時間を超える場合においては少なくとも四十五分、八時間を超える場合においては少なくとも一時間の休憩時間を与えなければならない。

〈参考資料〉

2 前項の休憩時間は、一斉に与えなければならない。ただし、当該事業場に、労働者の「過半数で組織する労働組合がある場合においてはその労働組合、労働者の過半数で組織する労働組合がない場合においては労働者の過半数を代表する者との書面による協定があるときは、この限りでない。

3 使用者は、第一項の休憩時間を自由に利用させなければならない。

（休日）

第三十五条 使用者は、労働者に対して、毎週少くとも一回の休日を与えなければならない。

2 前項の規定は、四週間を通じ四日以上の休日を与える使用者については適用しない。

（時間外及び休日の労働）

第三十六条 使用者は、当該事業場に、労働者の過半数で組織する労働組合がある場合においてはその労働組合、労働者の過半数で組織する労働組合がない場合においては労働者の過半数を代表する者との書面による協定をし、厚生労働省令で定めるところによりこれを行政官庁に届け出た場合においては、第三十二条から第三十二条の五まで若しくは第四十条の労働時間又は前条の休日に関する規定にかか

わらず、その協定で定めるところによって労働時間を延長し、又は休日に労働させることができる。

（時間外、休日及び深夜の割増賃金）
第三十七条　使用者が、第三十三条又は前条第一項の規定により労働時間を延長し、又は休日に労働させた場合においては、その時間又はその日の労働については、通常の労働時間又は労働日の賃金の計算額の二割五分以上五割以下の範囲内でそれぞれ政令で定める率以上の率で計算した割増賃金を支払わなければならない。

（年次有給休暇）
第三十九条　使用者は、その雇入れの日から起算して六箇月間継続勤務し全労働日の八割以上出勤した労働者に対して、継続し、又は分割した十労働日の有給休暇を与えなければならない。

第六章　年少者
（最低年齢）
第五十六条　使用者は、児童が満十五歳に達した日以後の最初の三月三十一日が終了するまで、これを使用してはならない。

〈参考資料〉

（深夜業）

第六十一条　使用者は、満十八歳に満たない者を午後十時から午前五時までの間において使用してはならない。ただし、交替制によって使用する満十六歳以上の男性については、この限りではない。

第六章の二　妊産婦等
（産前産後）

第六十五条　使用者は、六週間（多胎妊娠の場合にあっては、十四週間）以内に出産する予定の女性が休業を請求した場合においては、その者を就業させてはならない。

2　使用者は産後八週間を経過しない女性を就業させてはならない。ただし、産後六週間を経過した女性が請求した場合において、その者について医師が支障がないと認めた業務に就かせることは、差し支えない。

（育児時間）

第六十七条　生後満一年に達しない生児を育てる女性は、第三十四条の休憩時間のほか、一日二回各々少なくとも三十分、その生児を育てるための時間を請求することができる。

（生理日の就業が著しく困難な女性に対する措置）

第六十八条　使用者は、生理日の就業が著しく困難な女性が

休暇を請求したときは、その者を生理日に就業させてはならない。

労働契約法

第一章　総則

（目的）

第一条　この法律は、労働者及び使用者の自主的な交渉の下で、労働契約が合意により成立し、又は変更されるという合意の原則その他労働契約に関する基本的事項を定めることにより、合理的な労働条件の決定又は変更が円滑に行われるようにすることを通じて、労働者の保護を図りつつ、個別の労働関係の安定に資することを目的とする。

（定義）

第二条　この法律において「労働者」とは、使用者に使用されて労働し、賃金を支払われる者をいう。

2　この法律において「使用者」とは、その使用する労働者に対して賃金を支払う者をいう。

（労働契約の原則）

第三条　労働契約は、労働者及び使用者が対等の立場における合意に基づいて締結し、又は変更すべきものとする。

2　労働契約は、労働者及び使用者が、就業の実態に応じて、

〈参考資料〉

均衡を考慮しつつ締結し、又は変更すべきものとする。
3 労働契約は、労働者及び使用者が仕事と生活の調和にも配慮しつつ締結し、又は変更すべきものとする。
4 労働者及び使用者は、労働契約を遵守するとともに、信義に従い誠実に、権利を行使し、及び義務を履行しなければならない。
5 労働者及び使用者は、労働契約に基づく権利の行使に当たっては、それを濫用することがあってはならない。

（労働契約の内容の理解の促進）
第四条　使用者は、労働者に提示する労働条件及び労働契約の内容について、労働者の理解を深めるようにするものとする。
2 労働者及び使用者は、労働契約の内容（期間の定めのある労働契約に関する事項を含む。）について、できる限り書面により確認するものとする。

（労働者の安全への配慮）
第五条　使用者は、労働契約に伴い、労働者がその生命、身体等の安全を確保しつつ労働することができるよう、必要な配慮をするものとする。

第二章　労働契約の成立及び変更

（労働契約の成立）
第六条　労働契約は、労働者が使用者に使用されて労働し、使用者がこれに対して賃金を支払うことについて、労働者及び使用者が合意することによって成立する。

第七条　労働者及び使用者が労働契約を締結する場合において、使用者が合理的な労働条件が定められている就業規則を労働者に周知させていた場合には、労働契約の内容は、その就業規則で定める労働条件によるものとする。ただし、労働契約において、労働者及び使用者が就業規則と異なる労働条件を合意していた部分については、第十二条に該当する場合を除き、この限りでない。

（労働契約の内容の変更）
第八条　労働者及び使用者は、その合意により、労働契約の内容である労働条件を変更することができる。

（就業規則による労働契約の内容の変更）
第九条　使用者は、労働者と合意することなく、就業規則を変更することにより、労働者の不利益に労働契約の内容である労働条件を変更することはできない。ただし、次条の

〈参考資料〉

場合は、この限りでない。

第十条　使用者が就業規則の変更により労働条件を変更する場合において、変更後の就業規則を労働者に周知させ、かつ、就業規則の変更が、労働者の受ける不利益の程度、労働条件の変更の必要性、変更後の就業規則の内容の相当性、労働組合等との交渉の状況その他の就業規則の変更に係る事情に照らして合理的なものであるときは、労働契約の内容である労働条件は、当該変更後の就業規則に定めるところによるものとする。ただし、労働契約において、労働者及び使用者が就業規則の変更によっては変更されない労働条件として合意していた部分については、第十二条に該当する場合を除き、この限りではない。

（就業規則の変更に係る手続き）
第十一条　就業規則の変更の手続きに関しては、労働基準法第八十九条及び第九十条の定めるところによる。

（就業規則違反の労働契約）
第十二条　就業規則で定める基準に達しない労働条件を定める労働契約は、その部分については、無効とする。この場合において、無効となった部分は、就業規則で定める基準による。

（法令及び労働協約と就業規則との関係）
第十三条　就業規則が法令又は労働協約に反する場合には、当該反する部分については、第七条、第十条及び前条の規定は、当該法令又は労働協約の適用を受ける労働者との間の労働契約については、適用しない。

第三章　労働契約の継続及び終了
（出向）
第十四条　使用者が労働者に出向を命ずることができる場合において、当該出向の命令が、その必要性、対象労働者の選定に係る事情その他の事情に照らして、その権利を濫用したものと認められる場合には、当該命令は、無効とする。

（懲戒）
第十五条　使用者が労働者を懲戒することができる場合において、当該懲戒が、当該懲戒に係る労働者の行為の性質及び態様その他の事情に照らして、客観的に合理的な理由を欠き、社会通念上相当であると認められない場合は、その権利を濫用したものとして、当該懲戒は、無効とする。

（解雇）
第十六条　解雇は、客観的に合理的な理由を欠き、社会通念上相当であると認められない場合は、その権利を濫用した

ものとして、無効とする。

第四章　期間の定めのある労働契約
（契約期間中の解雇等）
第十七条　使用者は、期間の定めのある労働契約について、やむを得ない事由がある場合でなければ、その契約期間が満了するまでの間において、労働者を解雇することができない。
2　使用者は、有期労働契約について、その有期労働契約により労働者を使用する目的に照らして、必要以上に短い期間を定めることにより、その有期労働契約を反復して更新することのないよう配慮しなければならない。

（有期労働契約の期間の定めのない労働契約への転換）
第十八条　同一の使用者との間で締結された二以上の有期労働契約（契約期間の始期の到来前のものを除く。以下この条において同じ。）の契約期間を通算した期間（次項において「通算契約期間」という。）が五年を超える労働者が、当該使用者に対し、現に締結している有期労働契約の契約期間が満了する日までの間に、当該満了する日の翌日から労務が提供される期間の定めのない労働契約の締結の申込みをしたときは、使用者は当該申込みを承諾したものとみなす。この場合において、当該申込みに係る期間の定めのな

い労働契約の内容である労働条件は、現に締結している有期労働契約の内容である労働条件（契約期間を除く。）と同一の労働条件（当該労働条件（契約期間を除く。）について別段の定めがある部分を除く。）とする。
2　当該使用者との間で締結された一の有期労働契約の契約期間が満了した日と当該使用者との間で締結されたその次の有期労働契約の契約期間の初日との間にこれらの契約期間のいずれにも含まれない期間（これらの契約期間が連続すると認められるものとして厚生労働省令で定める基準に該当する場合の当該いずれにも含まれない期間を除く。以下この項において「空白期間」という。）があり、当該空白期間が六月（当該空白期間の直前に満了した一の有期労働契約の契約期間（当該一の有期労働契約を含む二以上の有期労働契約の契約期間の間に空白期間がないときは、当該二以上の有期労働契約の契約期間を通算した期間。以下この項において同じ。）が一年に満たない場合にあっては、当該一の有期労働契約の契約期間に二分の一を乗じて得た期間を基礎として厚生労働省令で定める期間）以上であるときは、当該空白期間前に満了した有期労働契約の契約期間は、通算契約期間に算入しない。

（有期労働契約の更新等）
第十九条　有期労働契約であって次の各号のいずれかに該当

〈参考資料〉

するものの契約期間が満了する日までの間に労働者が当該有期労働契約の更新の申込みをした場合又は当該契約期間の満了後遅滞なく有期労働契約の締結の申込みをした場合であって、使用者が当該申込みを拒絶することが、客観的に合理的な理由を欠き、社会通念上相当であると認められないときは、使用者は、従前の有期労働契約の内容である労働条件と同一の労働条件で当該申込みを承諾したものとみなす。

一　当該有期労働契約が過去に反復して更新されたことがあるものであって、その契約期間の満了時に当該有期労働契約を更新しないことにより当該有期労働契約を終了させることが、期間の定めのない労働契約を締結している労働者に解雇の意思表示をすることにより当該期間の定めのない労働契約を終了させることと社会通念上同視できると認められること。

二　当該労働者において当該有期労働契約の契約期間の満了時に当該有期労働契約が更新されるものと期待することについて合理的な理由があるものであると認められること。

短時間労働者及び有期雇用労働者の雇用管理の改善等に関する法律

(不合理な待遇の禁止)
第八条　事業主は、その雇用する短時間・有期雇用労働者の基本給、賞与その他の待遇のそれぞれについて、当該待遇に対応する通常の労働者の待遇との間において、当該短時間・有期雇用労働者及び通常の労働者の業務の内容及び当該業務に伴う責任の程度(以下「職務の内容」という。)、当該職務の内容及び配置の変更の範囲その他の事情のうち、当該待遇の性質及び当該待遇を行う目的に照らして適切と認められるものを考慮して、不合理と認められる相違を設けてはならない。

(通常の労働者と同視すべき短時間・有期雇用労働者に対する差別的取扱いの禁止)
第九条　事業主は、職務の内容が通常の労働者と同一の短時間・有期雇用労働者(第十一条第一項において「職務内容同一短時間・有期雇用労働者」という。)であって、当該事業所における慣行その他の事情からみて、当該事業主との雇用関係が終了するまでの全期間において、その職務の内容及び配置が当該通常の労働者の職務の内容及び配置の変更の範囲と同一の範囲で変更されることが見込まれるもの

〈参考資料〉

（次条及び同項において「通常の労働者と同視すべき短時間・有期雇用労働者」という。）については、短時間・有期雇用労働者であることを理由として、基本給、賞与その他の待遇のそれぞれについて、差別的取扱いをしてはならない。

（労働基準法の主な罰則規定）

第五条（強制労働の禁止）
　上記の規定に違反した者は、一年以上十年以下の懲役又は二十万円以上三百万円以下の罰金に処する。

第三十六条第6項（時間外及び休日の労働の上限）
第三十七条（休日及び深夜の割増賃金）
第三十九条（年次有給休暇）（第七項を除く）
　上記の規定に違反した者は、六ヶ月以下の懲役又は三十万円以下の罰金に処する。（36条は監督署へ無届の場合）

第五十六条（最低年齢）
　上記の規定に違反した者は、一年以下の懲役又は五十万円以下の罰金に処する。

第三十九条第七項（年次有給休暇の5日付与）
第八十九条（就業規則作成及び届出の義務）
　上記の規定に違反した者は、三十万円以下の罰金に処する。

〈参考資料〉

労 働 契 約 書

契約期間	自　　年　月　日至　　年　月　　日（パート等）又は　　期間の定めなし（正社員等）
就業場所	
従事すべき業務の内容	

就業時間	始業・終業の時刻	自　　　時　　　分　至　　　　時　　　分
	休 憩 時 間	時　　　分　より　　　時　　　分まで 　　時　　　分　より　　　時　　　分まで

休　　日	曜日、国民の祝日、その他（　　　　　　　　　　　　　）

賃　金	給 与 区 分	日給・月給・日給月給・その他（　　　　　）	
	基 本 給	（月・日・時）給　　　　　　　　　　　　　円	
	諸 手 当	家族手当　　円（内訳配偶者　　円 子供　　円）	
		皆勤手当　　円（遅刻があれば支給しない）	
		役職手当　　円（役職がなくなると支給しない）	
		通勤手当　1. 全額支給　2. 定額支給　　　円	
	割増賃金率	法定時間外（　25　）％　所定時間外（　0　）％	
		法定休日（　35　）％　法定外休日（　25　）％	
		深夜（　25　）％	
	その他条件	賞与（有・無）　昇給（有・無）　退職金（有・無）	
	締切日／支払日	毎月　　　日締切／（当・翌）月　　　日支払	
	有期契約の時の更新条件	無（更新はしない）・有 （本人の勤務実態・適格性・会社の経営状況などにより更新することがある）	
その他	就業時間・休日は業務の都合により変更することがある。個人番号（マイナンバー）は所得税・社会保険・労働保険等の手続きにのみ利用します。解雇を含む退職等については就業規則の定めによるものとする。		

　　年　　月　　日

　　　　　　　　　労働者氏名＿＿＿＿＿＿＿＿＿＿＿印

　　　　　　　　　　　所在地＿＿＿＿＿＿＿＿＿＿＿＿

　　　　　　　　　事業主 名称＿＿＿＿＿＿＿＿＿＿＿＿

　　　　　　　　　　　氏 名＿＿＿＿＿＿＿＿＿＿＿印

187

退 職 届

代表取締役＿＿＿＿＿＿＿＿殿

　私は、この度下記の理由により退職致したく、お届け致します。

退 職 年 月 日	年　　　月　　　日	
退 職 理 由		
退職後の 連 絡 先	住　　所	
	電話番号	
離 職 票 の 交 付	要　・　不要	
健康保険の任意継続	要　・　不要	

（退職後は御社との債権債務はないことを確認します）
　又退職後も個人番号（マイナンバー）等の特定個人情報や営業機密を漏洩しません。
　なお、以下の書類等につきましては退職日までに返還致します。
☐　健康保険証
☐　身分証明書
☐　貸与被服
☐
☐

　　　年　　　月　　　日
　　　現住所＿＿＿＿＿＿＿＿＿＿＿＿＿＿＿＿＿＿＿＿＿
　　　　　　氏　名＿＿＿＿＿＿＿＿＿＿＿＿＿＿＿㊞

〈参考資料〉

解 雇 予 告 通 知 書

　　　　　　　　　　　　　　　　　　　　年　　月　　日

　　　　　　　　＿＿＿＿＿＿＿＿＿＿＿＿殿

　当社就業規則第　　条の規定により、貴殿を　　　年　　月　　日を以って解雇致します。

　本通知書は労働基準法第20条によるものです。

　なお、上記解雇の効力発生日までの賃金については、　年　　月　　日に貴殿の銀行口座に振り込みます。

　　　　　　　　　　　　　　　　　　　　　　　　以上

　　　　　　所在地
　　　　事業主　名　称　　　　　　　　　　　　　印
　　　　　　　氏　名

労働者名簿

フリガナ		性別	
氏　　　名			
生年月日	年　　　月　　　日		
現　住　所			
雇入年月日	年　　　月　　　日		
業務の種類			
履　　歴			
解雇・退職 または死亡	年月日	年　　　月　　　日	
	事　由		
備　　考			

〈参考資料〉

時間外勤務申請書

代表取締役　　　　　　　殿

氏名

予定日時	年　　月　　日 時　　分　～　　時　　分まで （　　　時間　　分）
業務内容	
承認	承認（　　）　　非承認（　　　）

191

届出及び申出書

代表取締役　　　　　　　殿

　　　　　　　　　　　　　　氏名

区分	欠勤　遅刻　早退届　及びその他届出 有給休暇　特別休暇　育児休業申出書
予定日時	年　月　日（　時　分～　時　分）
休暇・休業 申出期間	年　月　日　～　年　月　日まで
届出及び 申出理由	
連絡先	(不在中のときの連絡先)
備考	(育児休業の時は子の氏名続柄など休業開始の1ヵ月前までに申し出る事) 子の氏名　　　　生年月日　　　　続柄 その他連絡事項

〈参考資料〉

始 末 書

年　　月　　日

株式会社
代表取締役　　　　　殿

氏名　　　　㊞

今回の件において、私の不十分な点を今後改善して

今後このようなことがないように努めることを誓います

ので何卒お願いいたします。

今後注意すること

「　　　　　　　　　　　　　　　　　　　　　　」

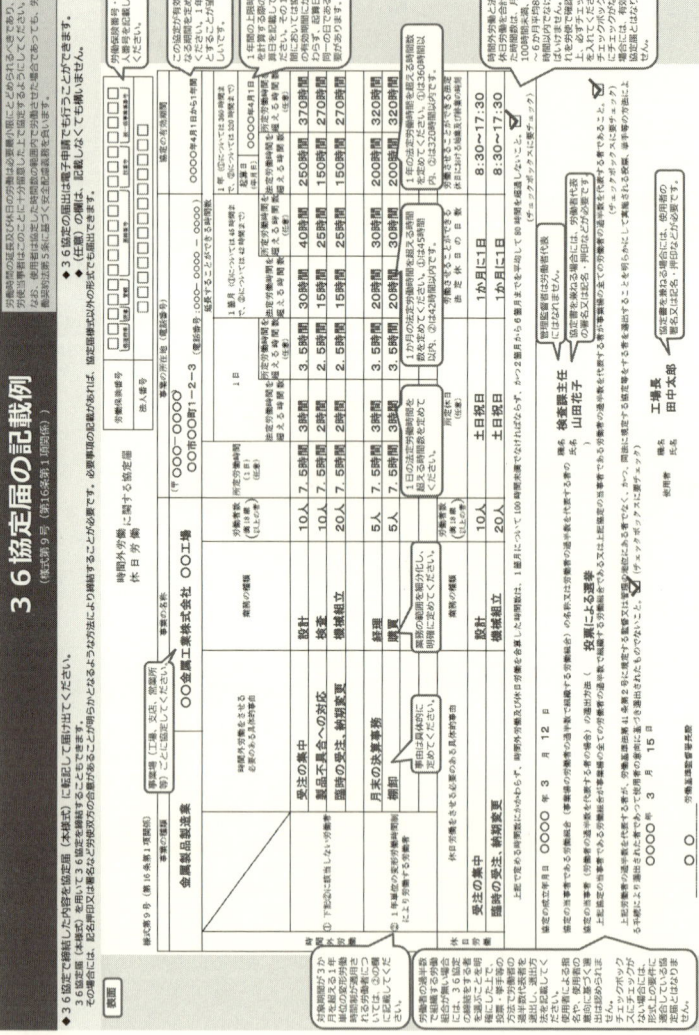

〈参考資料〉

36協定届の記載例（特別条項）

（様式第9号の2（第16条第1項関係））

- 36協定で締結した内容を協定届（本様式）に転記して届け出てください。
- 36協定届（本様式）を協定書とすることもできます。その場合には、記名押印又は署名などが必要となりますので、ご注意ください。
- 限度時間内の時間外労働についての届出書（1枚目）と、限度時間を超える時間外労働についての届出書（2枚目）の2枚の記載が必要です。

1枚目（表面）

臨時的に限度時間を超えて労働させる場合に記載する必要があります。

様式第9号の2は、
- 限度時間内の時間外労働についての届出書（1枚目）と、
- 限度時間を超える時間外労働についての届出書（2枚目）
の2枚の記載が必要です。

事業の種類	事業の名称	事業の所在地（電話番号）
金属製品製造業	○○金属工業株式会社 ○○工場	（〒000-0000） ○○市○○町1-2-3 （電話番号：0000-0000-0000）

時間外労働　休日労働　に関する協定届

	時間外労働をさせる必要のある具体的事由	業務の種類	労働者数（満18歳以上の者）	所定労働時間（1日）	延長することができる時間数 1日	延長することができる時間数 1箇月（①については45時間まで、②については42時間まで）	延長することができる時間数 1年（①については360時間まで、②については320時間まで）起算日（年月日）○○○○年4月1日
① 下記②に該当しない労働者	受注の集中	設計	10人	7.5時間	3時間	30時間	250時間
	製品不具合への対応	検査	10人	7.5時間	2時間	15時間	150時間
	臨時の受注、納期変更	機械組立	20人	7.5時間	2時間	15時間	150時間
② 1年単位の変形労働時間制により労働する労働者	月末の決算事務	経理	5人	7.5時間	3時間	20時間	200時間
	棚卸	購買	5人	7.5時間	3時間	20時間	200時間

休日労働をさせる必要のある具体的事由	業務の種類	労働者数（満18歳以上の者）	所定休日（任意）	労働させることができる法定休日の日数	労働させることができる法定休日における始業及び終業の時刻
受注の集中	設計	10人	土日祝日	1か月に1日	8:30～17:30
臨時の受注、納期変更	機械組立	20人	土日祝日	1か月に1日	8:30～17:30

上記で定める時間数にかかわらず、時間外労働及び休日労働を合算した時間数は、1箇月について100時間未満でなければならず、かつ2箇月から6箇月までを平均して80時間を超過しないこと。（✓チェックボックスに要チェック）

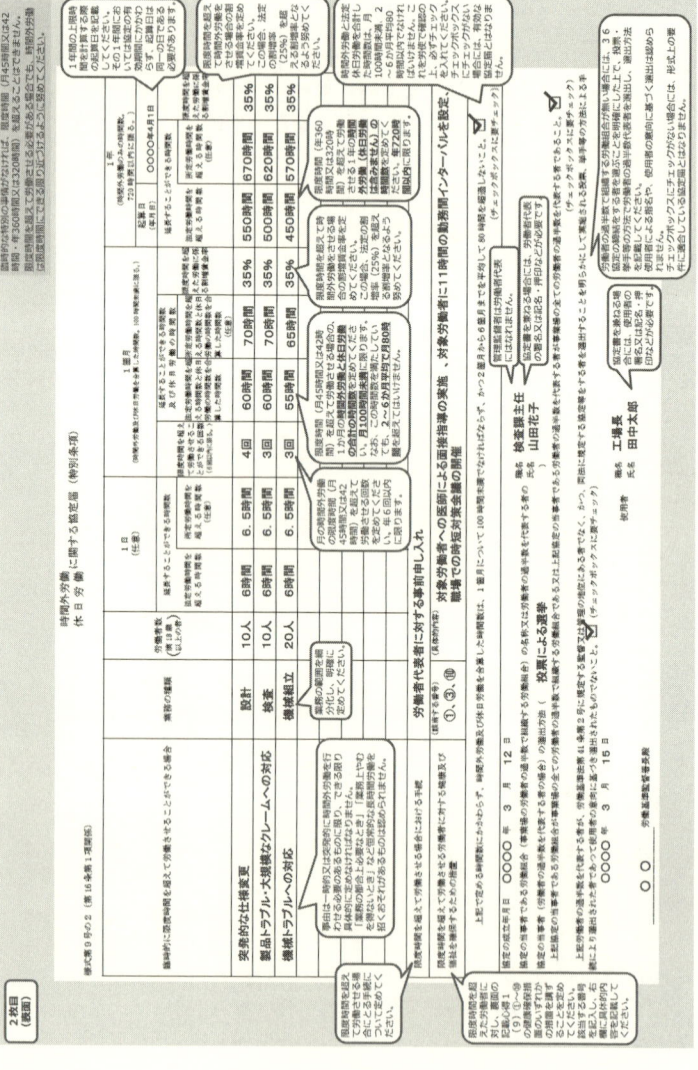

〈参考資料〉

様式第4号（第12条の4第6項関係）（記入事例）
1年単位の変形労働時間制に関する協定届（新規に作成する場合）（記入例）

事業の種類	事業の名称	事業の所在地（電話番号）	常時使用する労働者数
○○業	○○株式会社	石川県金沢市○○町1－1 076－000－0000	○人
該当労働者数 （満18歳未満の者） （　○人　）	対象期間及び特定期間 （起算日） 対象期間1年間 （　平成31年4月1日　）	対象期間中の各月の及び各週の労働時間並びに所定休日 （別紙）	協定の有効期間 ○○○○年4月1日から 1年間
労働時間が最も長い日の労働 時間数（満18歳未満の者） 7時間　30分 （　　時間　　分　）	労働時間が最も長い週の労働 時間数（満18歳未満の者） 45時間　00分 （　　時間　　分　）	対象期間中の1週間の 平均労働時間数 38時間　10分	
労働時間が48時間を超える最長連続週数	0週	対象期間中の最も長い連続労働日数	6日間
対象期間中の労働時間が48時間を超える週数	0週	特定期間中の最も長い連続労働日数	日間
旧　協　定　の　対　象　期　間	旧協定の労働時間が最も長い日の労働時間数	時間　　分
年間　　　　時間　　分	旧協定の労働時間が最も長い日の総労働日数	266日

協定の成立年月日　　　年　　月　　日

協定の当事者である労働組合の名称又は労働者の過半数を代表する者の　職名　事務
氏名　見本　花子

協定の当事者（労働者の過半数を代表する者の場合）の選出方法

年　　月　　日
○○　　　労働基準監督署長　殿

使用者　職名　○○
氏名　見本　太郎　㊞

記載心得
1　法第60条第3項第2号の規定に基づき満18歳未満の者に変形労働時間制を適用する場合には、「該当労働者数」、「労働時間が最も長い日の労働時間数」及び「労働時間が最も長い週の労働時間数」の各欄に括弧書きすること。
2　「対象期間及び特定期間」の欄のうち、対象期間については当該変形労働時間制における時間通算の期間の単位を記入し、その起算日を括弧書きすること。

１年単位の変形労働時間制に関する労使協定

_____と_____労働者代表は、１年単位の変形労働時間制に関し、次のとおり協定する。

（勤務時間）
第１条　所定労働時間は、１年単位の変形労働時間制によるものとし、１年を平均して週40時間を超えないものとする。
　　２　１日の所定労働時間は１日７時間30分とし、始業・終業の時刻、休憩時間は次のとおりとする。
　　　　始業＝午前 8 時、終業＝午後 5 時、休憩＝午後０時から午後１時
　　　　　　　　　　　　　　　　　　　　　　　　　　　その他途中30分

（起算日）
第２条　変形期間の起算日は　　年　　月　　日とする。

（休日）
第３条　休日は、別紙年間カレンダーのとおりとする。

（対象となる従業員の範囲）
第４条　本協定による変形労働時間制は、次のいずれかに該当する従業員を除き、全従業員に適用する。
　　一　18歳未満の年少者
　　二　妊娠中または産後１年を経過しない女性従業員のうち、本制度の適用免除を申し出た者
　　三　育児や介護を行う従業員、職業訓練または教育を受ける従業員その他特別の配慮を要する従業員に該当する者のうち、本制度の適用免除を申し出た者

（特定期間）
第５条　特定期間は定めないものとする。

（有効期間）
第６条　本協定の有効期間は起算日から１年間とする。

　　　年　　月　　日

　　　　　使用者　　　　　　　　　　㊞
　　　　　労働者代表　　　　　　　　㊞

〈参考資料〉

(1年単位の変形労働時間制を採用する時の労働基準監督署へ届け出る参考年間カレンダー)

2022年～2023年 休日カレンダー

2022年

[カレンダー図: 2022年4月～2023年3月の月別カレンダー。休日が網掛けで表示されている。各月の労働日数:
4月(7)、5月(11)、6月(6)、7月(8)、8月(9)、9月(8)、10月(8)、11月(8)、12月(10)、1月(11)、2月(7)、3月(7)]

休日 ■

(週平均の計算例)

夏季・正月休暇などを含めて休日が年間100日として計算

365日－100日＝265日
7時間30分×265日＝1987時間30分 (年間労働時間)
1987時間30分÷365日×7日＝38時間07分 (週平均労働時間)
この計算のように40時間以内ですのでOKです。

年間休日日数	100 日
年間労働日数	265 日
1日所定労働時間	7時間30分
年間労働時間	1987時間30分
週平均労働時間	38時間07分

一日所定労働時間	8時間00分	7時間50分	7時間45分	7時間40分	7時間30分	7時間20分以下
必要休日日数	105日	99日	96日	93日	87日	＊85日

＊ 366／年の場合は86日必要です。

（有給休暇管理台帳）

年度

番号	氏名	入社年月日 基準日月日	勤続年数	前年繰越	新規付与	計	日数	4月	5月	6月	7月	8月	9月	10月	11月	12月	1月	2月	3月	残日数	次年度繰越
			年 カ月				取得														
							累計														
			年 カ月				取得														
							累計														
			年 カ月				取得														
							累計														
			年 カ月				取得														
							累計														
			年 カ月				取得														
							累計														
			年 カ月				取得														
							累計														
			年 カ月				取得														
							累計														
			年 カ月				取得														
							累計														
			年 カ月				取得														
							累計														
			年 カ月				取得														
							累計														
			年 カ月				取得														
							累計														

〈参考資料〉

計画的年次有給休暇付与に関する協定書

○○株式会社と従業員代表○○　○○とは、年次有給休暇の取得の時期にかんして、次のとおり協定する。

記

（対象となる休暇）
第1条　計画年休の対象となるのは、各人が有する年次有給休暇のうち、5日を超える日数とする。

（対象となる労働者）
第2条　計画年休の対象となるのは、原則として事業場のすべての労働者とする。

（年次有給休暇のない者）
第3条　計画年休取得日において、個人で取得すべき5日を除いた年次有給休暇が当該付与の対象とされる日数を下回る労働者については、特別の有給休暇を付与するものとする。

（取得時季）
第4条　本協定にもとづき年次有給休暇を付与する時季および日数は別添カレンダーのとおり5日間とする。
　　　　ただし、上記の休暇は、各人の時季の指定がなされていない場合でも取得したものとして取り扱う。

（有効期間）
第5条　本協定は○○年4月1日より△△年3月31日までを有効期間とする。
　　　　ただし、有効期間満了の1カ月前までに、労使いずれからも異議の申し出がない場合は、さらに1年間更新するものとし、その後も同様とする。

　　　年　　月　　日

　　　　　　　○○株式会社
　　　　　　　従業員代表　　　　○○　○○　　　　　㊞

　　　　　　　○○株式会社
　　　　　　　代表者職氏名　　　代表取締役○○　○○　㊞

まとめ

最後までお読みいただき、大変有難うございました。

伝説の就業規則について、いくらかイメージを持っていただけましたか？

お陰様で今回、改訂3版となりました。深く感謝申し上げます。

実は私は、本を書こうなどと11年ほど前までは考えたこともありませんでした。また、私は字が下手なので、読むことは億劫ではありませんでしたが、こと書くことには大変臆病でした。

そんな私が書く決心をしたのは、開業10年でなにか自分に区切りをつけなければならないと決意したからです。また、名古屋で私が入塾している北見塾の北見昌朗先生やその他多くの塾生のかたが、本を出版されていることに刺激をうけたのかもしれません。また、開業時から尊敬しているランチェスター経営で有名な竹田先生のお話で、自分は大変字がへたくそで文章など一番苦手であったが、人の3倍かけて書いた。そして今ではベストセラーの本も出ている。仮に文章が苦手な方は人の三倍かけて書けばいいとのお話をお聞きし感動しました。このように多くの先生方のご支援があったからこそだと深く感謝申し上げます。

まとめ

　また、出版に際してインプルーブの小山社長には大変お世話になり有難うございました。それに、経営書院様の御指導には深く感謝申しあげます。

　今回のテーマである、中小零細企業向けの就業規則の本が、いままでほとんど出版されていなかったので、私でも書けたのではないかと思っています。この本に書かれているレベルのことは、同業者の社会保険労務士の方であれば、いたって常識であるようなことかと思います。

　顧問先での労務トラブルの相談をうけるなかで、人材の余裕のない中小零細企業こそ、法律では規定されていませんが就業規則の作成は経営において大変重要であると、働き方改革の法改正もあり近年つくづく感じるようになってきました。今回ご紹介の伝説の就業規則であれば、多忙な中小零細企業の社長さんでも比較的簡単に理解できる内容で、しかも条文数も22条と本当にシンプルにまとめてみました。これですべての労務問題に対応できるとはいえませんが、予想されるケースについては、ある程度対応できるのではないかと思います。

　就業規則がないために、従業員との不毛な、お互いに後味の悪い争いは起こしたくないものです。なにかのご縁で一緒に働いてきた仲間です。かりに退社したあとも、良好な人間関係を維持して、従業員から、あの社長のもとで働いていたことを、いつか感謝されるような関係になりたいものです。

とかく、人は経済関係だけで物事を考えますが、もっと人間としてどうあるべきかといった視点で、経営者も労働者も考える必要があるのではないかと思います。そんなふうに考えるとき、いくらかでも、今回提案の伝説の就業規則が、不毛な労務トラブル防止や求人における人手不足のお役にたてれば幸いと思っています。本当に最後までお読みいただき大変有難うございました。

最後まで私の本を読んでいただき大変ありがとうございました

参考文献

「小さな会社☆社長のルール」　竹田陽一著　フォレスト出版
「なぜ　会社の数字は達成されないのか」　竹田陽一著　フォレスト出版
「働き方改革実現の労務管理」　宮崎晃、西村裕一、鈴木啓太、本村安宏著　中央経済社

> 三村社会保険労務士事務所は、この本の発売に合わせて
> 「零細企業の労務を考える会」を設立しています。

　従業員数名の会社では、なかなか総務の人を雇用できる人材の余裕がないのではないかと思います。そこで、この本の出版を記念して読者の中でご希望の方は、この会に入会していただいて、零細企業の労務管理のノウハウを共有したいと思っていますので、宜しくお願い致します。

　〈入会のメリット〉

① この本でご紹介した伝説の就業規則、参考書式をメールで提供します。
② 毎月１回、零細企業に必要であると思われる労務管理の情報をメールで提供します。
③ 労務管理の基本的なご相談をメールで受付いたします。そしてメールにて返答させていただきます。相談内容によっては別途費用がかかることがあります。

> 「零細企業の労務を考える会」　年会費５０，０００円
>
> 入会をご希望の方は、メールもしくはファックスでご連絡いただければ入会申し込み書、会費振込先等を連絡いたします。
>
> お問い合わせは、三村社会保険労務士事務所
>
> メール　gojira@mva.biglobe.ne.jp
>
> FAX　(076)－234－2430
>
> https://mimura-office.com/

著者紹介

三村　正夫（みむら・まさお）

福井県福井市生まれ。
芝浦工業大学卒業後、昭和55年日本生命保険相互会社に入社し、販売関係の仕事に22年間従事した。その後、平成13年に石川県で独立し、開業21周年を迎える。就業規則の作成指導は開業時より積極的に実施しており、県内の有名大学・大企業から10人未満の会社まで幅広く手がける。信念は「人生は自分の思い描いたとおりになる」
その他特定社会保険労務士・行政書士など22種の資格を取得
㈱三村式経営労務研究所　代表取締役
三村社会保険労務士事務所　所長
　著書に「改訂版サッと作れる小規模企業の賃金制度」「サッと作れる小規模企業の人事制度」「サッと作れるアルバイト・パートの賃金退職金制度」「サッと作れる小規模企業の高齢再雇用者賃金・第二退職金」（経営書院）「ブラック役場化する職場～知られざる非正規公務員の実態」（労働調査会）「改訂版熟年離婚と年金分割―熟年夫のあなた、コロナ離婚などないと思い違いをしていませんか」「超人手不足時代がやってきた！小さな会社の働き方改革・どうすればいいのか」（セルバ出版）など

改訂3版　サッと作れる小規模企業の就業規則

2011年 5 月28日	第 1 版	第 1 刷発行	定価はカバーに表示してあります。
2016年10月21日	第 1 版	第 5 刷発行	
2019年 3 月28日	第 2 版	第 1 刷発行	
2022年 5 月26日	第 3 版	第 1 刷発行	

著　者　三　村　正　夫
発行者　平　　　盛　之

発行所　㈱産労総合研究所
　　　　出版部　経営書院

〒100-0014
東京都千代田区永田町 1 ―11― 1 　三宅坂ビル
電話03(5860)9799
https://www.e-sanro.net

落丁・乱丁はお取替えいたします　　印刷・製本　中和印刷株式会社
ISBN978-4-86326-324-6